경쟁말고
독점하라

자산가의 일상으로 앤내하는
새로운 블루오션 묘지 경매

경쟁말고
독점하라

도강민 지음

체인지업
CHANGEUP

내 전 재산은 400만 원

400만 원으로 경매를 시작했다고 하면 여러분은 믿을 것인가? 많은 사람들이 부동산에 투자하려면 자금이 많이 드는 줄 안다. 나도 그랬다. 경매를 시작할 당시 전 재산이 400만 원이었다. 경매를 시작할 때에 나는 26세였고 5세 아들을 둔 아빠이자 한 집안의 가장이었다. 그때는 가족이 풍족하게 살 여유, 아니 오히려 부족하지 않게 해 줄 능력조차 없었다. 그저 꿈만 가득한 20대였다. 400만 원밖에 없던 내가 어떻게 여기까지 오게 되었을까?

아무것도 모르던 22세가 되던 해 1월, 소중한 아들이 우리에게 왔다. 집사람을 너무 사랑한 나머지 내 행동에 책임을 지고자 잠깐의 고민도 없이 가정을 꾸렸다. 하지만 현실은 생각보다 더 힘들었다. 그때 주위에 결혼한 사람이 없었을 뿐만 아니라 아이를 키우는 사람도 없어서 육아에 대해 무지했다. 20대 초반의 핏덩이가 사회에 나오기에는 너무 어리고 뭘 몰랐다. 아르바이트는 몇 번 해보았지만 제대로 된 직장에 다녀본 적이 없었다. 하지만 아내와 아이를 먹여 살리기 위해 구인구직 앱을 둘러보며 구직 활동을 했다.

처음 한 일은 대형마트 안에 있는 인터넷 판매소의 영업이었다. 마트에서 손님들에게 전단지를 나눠 주는 사람들을 본 적이 있는가? 그게 바로 나였다. 마트에 방문하는 고객을 대상으로 인터넷을 홍보하고 판매하는 영업직이었다. 어쩔 수 없이 이 일을 시작했지만 해보지 않은 호객 행위를 하려니 쉽지 않았다. 남에게 아쉬운 소리 한 번 하지 않고 살아왔는데 무시를 당하는 것 같아 자존심이 상했다. 신혼집은 경주의 한 원룸이었다. 보증금 100만 원에 월세 35만 원. 보증금이 없어서 가장 저렴한 원룸으로 구했다. 직장이 대구였기 때문에 매일 고속버스를 타고 경주에서 대구까지 출퇴근을 했다. 9시까지 출근이라 꼭두새벽부터 서둘러야 했다. 퇴근을 하고 경주에 도착하면 밤 10시쯤 되는데 차비를 아긴다고 터미널에서 집까지 1.5킬로미터를 걸어간 적도 있다. 안 신던 구두를 하루 종일 신고 있으려니 뒤꿈치가 까지는 것은 기본이었다. 그 모습을 보고 아내가 속상

해하던 게 아직도 기억이 난다. 지금은 우리에게 그런 순간이 있었다는 것이 새삼스럽다.

이런 수고스러움까지 감내하며 이 일을 택한 것은 급여가 많다는 것에 솔깃해서였다. 영업직이니까 판매한 만큼 급여가 올라가는 것인데 이때는 사회경험이 전무해서 무지했다. 아르바이트 취업포털 사이트에는 1개월에 300만 원 이상 급여를 받을 수 있다고 되어 있으나 1개월 반 정도 일하며 받은 급여가 200만 원이 채 안 되었다. 그렇게 씁쓸함을 남기고 첫 직장생활이 허무하게 끝났다. 영업이라는 일이 내 성격과 맞지 않았다. 지금은 내가 나를 알기에 이렇게 말하지만 그때는 나조차도 나를 몰랐다.

다음 직장은 도축장이었다. 어머니가 식육점을 하셔서 어려서부터 자연스럽게 육가공 쪽에 관심이 있었다. 마침 친구의 아버지가 도축장을 운영하시는데 그 친구의 도움을 받아 입사하게 되었다. 업무는 도축한 후에 진공 포장되어 나오는 고기를 부위별로 라벨링 하는 일이었다. 들어갈 때에 월급은 160만 원이었고, 3개월의 수습기간이 지나면 190만 원을 받기로 했다. 이 당시에는 엄청나게 큰돈이었다. 직장은 집에서 차를 타고 30분 정도 걸리는 거리였는데 이때 첫 차가 생겼다. 아버지께서 10년가량 타고 다니셨던 현대자동차의 테라칸이라는 차다.

　　　　　　　　　　　　　　　　　　경쟁 말고 독점하라

도축장은 업무를 시작하는 시간이 굉장히 이르다. 아침 7시 30분경에 일이 시작되기에 6시 30분에는 집을 나서야 했다. 물기가 묻어 있는 고기들이 진공 포장되어 나오면 이를 부위별로 분류하여 라벨링을 했는데 작업이 상당히 힘들었다. 하지만 쉽게 포기할 수는 없었기에 이겨내려고 노력했다. 처음 3일간은 온몸이 너무 아팠다. 평소에 운동을 하지 않았고 몸을 쓰는 일도 해보지 않아서 더욱 그랬다. 그렇게 1개월이 흘러 첫 월급명세서를 가져갔을 때 집사람이 수고했다고 한 게 아직도 생각난다.

3개월의 수습기간이 끝나고 월급을 30만 원 더 받아야 했으나 회사에서 인상해 주지 않았다. 한 달, 두 달이 지나도 월급은 그대로였다. 그래도 친구 아버지 회사인데 때가 되면 올려 주겠지, 하고 기다렸다. 결국 집사람 성화에 못 이겨 월급을 담당하는 과장님께 말했다. 다음 달에 반영해 주겠다고 했으나 결국 퇴사하는 마지막 달까지 월급은 160만 원에 머물러 있었다. 6개월 정도 일을 했는데 수습기간 동안 4대 보험을 제하니 내 손에는 145만 원의 월급이 쥐어졌다. 지금이라면 법률적으로 어떤 부분이 잘못되었는지 알려주고 시정을 요청할 수 있지만, 그 시절의 난 세상 물정을 모르고 지식도 없는 그냥 22세의 가장이었다. 이 일로 친구 아버지의 회사였지만 돈 앞에서는 누구도 믿을 수 없다는 것을 배웠다.

집사람은 6개월간 내가 받아온 월급명세서를 아직도 파일에 보관하고 있다. 도축된 고기를 나르면서 받아온 월급 봉투에는 피가 묻어 있기 일쑤였다. 지금은 그때 월급의 수십 배를 벌지만 그 월급명세서를 보면 '아, 이런 시절도 있었구나.' 하며 회상에 잠기게 된다. 몇 년 후 그 회사는 사정이 어려워져 다른 곳에 매각되었고 경제적으로 여유가 있던 그 친구와 내 모습은 5년 후에 뒤바뀌었다. 친구는 부모님의 그늘에서 온실 속 화초처럼 지내다가 서서히 메말라 갔고, 난 능력을 쌓으며 점점 성장했다. 여러분 주위에 지금 나보다 나은 사람이 있다고 해서 기죽지 말기를 바란다. 인생이란 결승점을 향해 가는 게임이다. 엎치락뒤치락하는 과정에서 누가 먼저 결승점에 도착할지는 아무도 모르기 때문이다.

도축장을 퇴사한 이유는 아이의 출산 시기와 맞물려 있었기 때문이었다. 아이 출산 후 아내가 몸조리를 하면 군 입대를 해야 했다. 군 생활 1년 9개월, 경제적으로 정말 힘든 시기였다. 다만 군 생활을 하며 한 가지 위안이 되는 것은 무슨 일을 시작하기 전에 책부터 찾아보는 사람이 되었다는 것이다. 난 그저 쾌락만 추구하며 살았고 책을 읽지 않는 대한민국 성인의 패턴을 그대로 가지고 있었다. 책을 1년에 한 권도 읽지 않던 내가 어떻게 책부터 찾아보는 사람이 될 수 있었을까? 삶이 막막하다 보니 나보다 여유가 있는 어른들을 만나면

경쟁 말고 독점하라

항상 배움을 구하고 조언을 들으려고 했다. 그때 든 생각이 이렇게 말로도 한 사람의 가치관이나 인생을 배울 수 있는데 책을 읽으면 얼마나 더 많은 사람에게 도움을 받고 조언을 들을 수 있을까였다. 이 생각이 지금의 나를 만든 발판이 되었다. 진부한 이야기지만 실제로 책을 읽으며 우물 안 개구리이던 가치관이 조금씩 깨졌고, 경험하지 못하거나 모르는 분야에 대한 지식을 쌓을 수 있었다. 처음에는 책을 읽는 게 너무 힘들었다. 평소에 책을 읽지 않아서 그런지 세 페이지 정도를 보면 어느새 꾸벅꾸벅 졸고 있었다. 마음먹으면 안 되는 일이 없다고 했던가. 무엇인가를 배우고자 하는 마음이 너무 강해서인지 책을 읽다가 졸다가 하는 이런 패턴을 2주 이상 계속하니 더 이상 졸리지 않았다. 책에 점점 흥미가 붙기 시작한 것이다.

교육을 하다 보면 2, 30대에게 이런 질문을 많이 받는다. 부동산 공부를 하려면 어떻게 해야 하나요? 어떻게 해야 빨리 성공할 수 있을까요? 식상한 말이지만 먼저 책을 읽으라고 권한다. 내가 추천하는 방법은 처음 시작하는 그 분야에 관심을 불러일으킬 수 있는 책을 먼저 보라는 것이다. 처음부터 원론적인 책을 접하면 흥미를 잃기 쉽다. 관심이 생겨야 깊이 있게 나아갈 수 있다. 그런 것은 다 알겠으니 어떻게 400만 원으로 경매를 했냐고?

묘지 경매를 하게 된 이유

많고 많은 부동산 경매 중에서 왜 묘지를 선택했나요? 많은 사람이 궁금해한다. 왜 하필 묘지인가? 묘지가 돈이 된다고 생각해 본 적이 없어서 더욱 그럴 것이다. 내게는 선택지가 없었다.

남들보다 일찍 부동산에 관심이 있었다. 실제로 강의 등을 통해 만난 사람들에게 부동산에 관심을 가지게 된 계기가 무엇이냐는 질문을 많이 받았다. 나에겐 너무나도 자연스러운 일이라 생각해보지 않았는데, 질문을 받고 곱씹어보니 21세 때 이따금 인터넷 부동산에 들어가서 강남 빌딩은 가격이 얼마나 하는지 찾아보았던 것 같다. 이때 월세가 4,000만 원 정도면 매매가가 100억 이상에 거래가 된다는 것을 알았다. 이 글을 쓰다 보니 그 당시에는 강남의 꼬마빌딩이 시세가 저렴했구나 느낀다. 지금은 좋은 빌딩 매물은 잠깐 고민하다 보면 누군가 다 가져가 버리니 말이다.

다시 본론으로 돌아가서 어떻게 이런 행동을 하게 되었는지도 생각해 보았다. 중학교 2학년 한자 시간에 숙제를 하지 않아 친구들과 교실 뒤편에서 벌을 서고 있었다. 그때 옆에 있던 친구가 너는 꿈이 뭐냐고 물었다. 그 말을 듣고 잠깐 고민을 하다가 나도 모르게 호텔을 운영하는 사장이 되고 싶다고 생각했다. 그래서 인터넷에서 검색을 했다. 얼마 정도의 돈이 있어야 호텔을 짓고 운영할 수 있는지. 그

경쟁 말고 독점하라

당시 내가 봤던 답변은 300억으로 기억한다. 아마 이런 영향으로 부동산에 자연스럽게 관심을 가지게 된 것이 아닌가 싶다.

부동산을 본격적으로 공부해야겠다고 결심하고 강의를 듣기 시작한 것은 23세부터다. 어린 나이지만 가장으로서 이대로는 가족의 삶에 답이 없을 것 같았다. 내 집 마련은커녕 스펙이 부족해서 할 수 있는 일이 한정되어 있었다. 앞날이 캄캄하게 느껴지기만 했던 그때 우리나라에서 이런 말이 유행했다. 부동산 불패신화, 유일한 계층의 사다리. 가족을 행복하게 하고 좀 더 나은 삶을 살게 할 수 있는 방법이 부동산밖에 없어 보였다.

먼저 부동산 관련 책들을 읽으면서 관심을 쌓아갔다. 부동산(아파트) 가격의 상승원리부터 시작한 후 토지에 대해 짧게나마 공부하고 25세에 경매에 입문했다. 입문 시기를 25세라고 해도 되나 싶은 게 1년 동안은 온전히 공부만 했다. 부동산을 공부했지만 경매에 대해서는 선입관이 있었다. 누군가가 망해서 매물로 나온 부동산을 다시 사는 게 꺼림칙했기 때문이다. 경매를 한다고 했을 때에 집사람도 반대했다. 세상에 돈 벌 수 있는 방법이 얼마나 많은데, 굳이 남의 눈에 눈물을 흘리게 하며 돈을 벌어야겠냐고 했다. 그런데 결국 경매를 하게 될 팔자였는지 우리는 막다른 길에 다다랐고 할 수 있는 게 경매밖에 없어서 실전에 뛰어들게 되었다.

첫 낙찰은 경매 공부를 시작하고 1년 뒤였다. 1년 동안 강의란 강의는 모두 찾아다니며 들었다. 수익을 내고 부자가 되려면 지식을 쌓는 게 급선무라고 생각했던 것일까? 하나를 듣더라도 내 것으로 체득하는 게 가장 중요한데, 이때는 돈을 벌고 성공을 하는 명확한 공식이 있는 줄 알았다. 그래서 성공했거나 성공한 것처럼 보이는 강사들을 찾아다니며 경제적 자유를 이루어 줄 부동산이나 창업을 기웃거렸다. 독자 가운데도 나 같은 경우가 많을 것이다. 성공한 사람의 노하우를 배우면 단기간에 변화된 삶을 살 수 있을 거라는 희망에 부풀어서 말이다. 실제로 수익을 내고 변화할 수도 있겠지만 그 가능성이 얼마나 될까?

내가 실전에 뛰어든 계기는 상황이 절박해서였지만 가장 큰 이유는 강의를 듣고 일명 '현타'가 와서였다. 무엇을 배우면서 지불하는 비용은 아깝지 않다. 그런데 강의장에서는 가슴이 두근거리며 무엇이라도 당장 할 수 있을 것 같은데 집에 돌아와 해보려고 하면 2%가 모자란 느낌이었다. 게다가 투자금이 턱없이 부족했다. 투자에서 가장 중요한 게 무엇일까? 돈, 바로 투자금이다. 하지만 나에게는 400만 원이 전부였다. 남들에게는 2, 3천만 원이 소액일지 모르나 단돈 1천만 원도 없는 이들에게 그 돈은 그림의 떡이다. 내 상황이 그랬다. 배운 것은 많아서 당장 할 수 있을 거 같은데 전장으로 이끌 총알

경쟁 말고 독점하라

이 부족했다.

여태 배운 것이 너무 아까워서 유료 경매 사이트에서 물건을 최저가 순으로 검색했다. 무엇이라도 하나 낙찰을 받아야겠다고 생각했다. 최저가로 검색을 하니 몇십만 원부터 100만 원, 200만 원 물건들이 나왔다. 그러나 죄다 가격이 저렴해서 그런지 면적이 작아 쓸모가 없는 땅이거나 묘지가 있는 땅이었다. 내가 경매를 공부할 때만 해도 묘지(분묘)가 있는 땅은 분묘기지권이 성립할 수 있으니 피하라고 했다. 분묘기지권이란 토지 지상에 묘지가 20년 이상 온전히 있었을 경우 토지 소유자라고 하더라도 묘를 이장 또는 건드리지 못하는 권리이다. 여기에서는 이 정도만 설명하고 뒤에서 분묘기지권에 대해 자세히 다루겠다. 그때 불현듯 이런 생각을 했다. 분묘기지권 때문에 다들 묘지를 하지 말라는데, 분묘기지권만 깨면 되지 않을까? 이 생각에 이끌려 경매노마드 인생이 시작되었다.

이 시작도 내 청개구리 성향이 강하게 작용했다. 누군가가 정해놓은 틀대로 살아가는 것이 싫었다. 고등학교를 입학하고 2개월 뒤에 자퇴를 한 것만 봐도 알 수 있다. 아무 문제 없이 학교생활을 했고 공부도 꽤 했지만 고등학교를 졸업하고 대학교를 입학해 남들과 취업 경쟁을 하는 삶이 싫어서 부모님을 설득했다. 지금 생각해 보면 부모님이 이런 결정을 해주신 게 참 대단하고 감사하다. 자퇴를 결심한 이유는 검정고시를 보고 학점은행제로 학점을 채워 남들이 대학교에 갈 때 난 대학교까지 졸업하고 싶었기 때문이다. 이때도 난 남들과 같은 길을 가기 싫었다. 무조건 남들보다 빨리, 성공도 20대에 하고 싶었던 게 내 삶의 모토였다.

경매를 시작할 당시 난 아무것도 없이 의욕만 넘쳐 마음먹은 것은 바로 실행했다. 물건을 사이트에서 간단히 살펴본 후 현장으로 갔다. 부동산 투자자들이 현장을 방문해 조사하는 것을 임장이라고 한다. 앞으로는 현장에 방문하는 것을 임장이라고 표현하겠다. 첫 임

400만 원 묘지가 건물들로 바뀌고

감사하게도 수입차 3대까지

경쟁 말고 독점하라

장 장소는 내가 거주하는 세종에서 차로 30분 거리인 청주에 있었다. 처음하는 임장이라 현장에서 무엇을 보고 어떤 것을 파악해야 하는지 하나도 몰랐다. 내가 묘지 경매에 입문할 당시에는 이에 대해 강의를 하거나 알려주는 사람이 없었다. 그래서 그냥 무작정 저지르고 시작했다. 이 시작은 가장으로서의 절박함과 성공에 대한 간절함의 하모니였다고 생각한다.

경제적 자유를 이룬 사람으로서 한 가지 말하고 싶은 것은 바로 '백문이 불여일견'이다. 강의나 책이 삶을 변하게 한다고 생각했다. 물론 큰 도움이 된다. 그렇지만 정말 내 삶을 바꾸는 것은 행동이다. 행동하지 않으면 바뀌는 것은 하나도 없다. 난 행동을 통해 400만 원의 묘지가 건물들로 바뀌었고 수입차도 세 대나 생겼다.

새로운 일을 하는 것을 좋아한다. 예전에 책에서 이 문장을 봤다. '내가 오늘 어제와 똑같은 행동을 하면 내 내일은 바뀌는 게 없이 오늘과 똑같은 하루일 것이다.' 이 문장을 본 순간 가슴에 와닿았고 난 항상 새롭고 해보지 않은 일을 하는 것을 즐긴다. 그렇기에 지금도 매일매일 성장하고 있고 묘지 경매로 꿈만 같은 삶을 살고 있다. 이 책에는 묘지 경매로 성공한 비결이 모두 들어 있다. 여러분도 이 책을 통해 성장하는 계기가 되기를 바란다.

차 례

1장   돈이 없었다, 그래서 묘지였다

2장   묘지 경매할 때 꼭 알아야 할 것들

3장   묘지는 어떻게 협상하는가?

4장   묘지 경매 성공 법칙 7가지

1장

돈이 없었다,
그래서 묘지였다

맨땅에 헤딩

내 첫 임장 물건. 무엇을 봐야 하는지도 몰랐지만 전 재산이 들어가는 일이니 현장은 가봐야 할 것 같았다. 당시에는 묘지에 임장 가는 것은 들어보지도, 생각하지도 못했다. 현장을 방문해 보니 깔끔하다는 느낌이 들어 낙찰을 받으면 되팔수 있을 것 같은 확신이 들었다. 무모했지만 이 느낌 하나로 뭐가 좋은지도 모르고 해보자 싶어서 무작정 입찰을 했다. 공매 물건이었는데 이때 처음 알았다. 경매의 경우 법원이 주체가 되어 각 관할법원에서 오프라인으로 매각을 진행하지만, 공매의 경우 자산관리공사가 주체가 되어 '온비드'라는 사이트에서 온라인으로 입찰을 진행한다. 입찰하려고 보니 '온비드

용 공인인증서'를 등록하라는 것이다.

그게 무엇인가요? 범용공인인증서가 있으면 별도로 발급할 필요가 없다. 은행에서 발급한 인증서를 사용하는 사람은 별도로 신청을 해야 하며 온비드 회원가입 시 첫 화면에 공인인증서를 등록하라는 창이 뜰 것이다. 신청하기를 누르면 관할 우체국, 기업은행 중 편한 곳을 선택해서 신청하면 된다. 온비드 인증서 또는 범용인증서가 있어야 온비드 사이트에서 입찰할 수가 있다. 인증서까지 발급을 받은 후 첫 입찰이 이루어졌다. 이전에는 기업은행 또는 일부 우체국에서

만 온비드 인증서를 발급해주어 찾아다니기 번거로웠으나 최근에는 네이버 인증서로도 인증이 가능해서 굳이 공인인증서를 발급받으러 갈 필요가 없다.

이때 묘지 물건 1개와 농지 1개를 동시에 입찰 신청했다. 굉장한 모험이었다. 두 물건의 잔금을 낼 돈이 없었고 혹 두 개가 모두 낙찰되면 입찰 보증금 10%를 포기해야 할 각오로 입찰을 했던 것이다. 왜 리스크를 감당하면서까지 두 개를 입찰했냐면 입찰 자체가 처음이라 둘 다 떨어질까 봐 하나라도 잡고 싶은 마음에 동시에 입찰을 한 것이다. 농지도 묘지와 같은 지분 물건이었다. 뒷부분에서 지분 물건에 대해 다룰 것이니 먼저 설명하겠다.

지분은 공유물이나 공유 재산 따위에서, 공유자 각자가 소유하는 몫 또는 그런 비율을 말한다. 부부간에 집을 공동명의로 소유하는 것을 본 적이 있을 것이다. 이때 부부가 자신들이 정한 비율대로 얼마씩 지분을 나눠 가지게 된다. 토지도 가족이나 친척 간에 공동명의로 소유하는 경우가 있다. 이것을 지분 물건이라고 한다.

모든 가족이 잘 살면 좋겠지만 집에 한 명쯤 아픈 손가락이 있기 마련이다. 이 아픈 손가락이 빚 또는 세금을 변제하지 못하여 경매나 공매로 매각되는 물건을 낙찰받아 가족과 함께 공동명의 소유자가 된다. 경매에서는 이를 공유자라고 한다.

일반적으로 경매의 경우 우리가 낙찰 받은 지분을 다시 가족에게 되파는 투자라고 생각하면 되는데, 우리가 되파는게 아닌 반대로 공유자에게 지분을 매입할 수도 있고, 여러 방향으로 처분이 가능하다.

공매의 경우 통상 월요일부터 수요일까지 입찰이 진행되며 목요일 오전에 낙찰 결과가 카카오톡 메시지로 온다. 드디어 목요일 오전이다. 카톡이 울렸다. "낙찰을 축하합니다!" 생애 첫 묘지 물건이 낙찰되었다고 알림이 왔다. 아내와 첫발을 뗀 것에 대해 기뻐하던 중 알림이 하나 더 울렸다. "낙찰을 축하합니다!" 농지 물건까지 두 개 모두 낙찰이 된 것이다.

두 건을 입찰했던 이유가 아파트처럼 경쟁이 치열하진 않지만 누가 입찰에 들어올까 걱정을 하다가 보험용으로 입찰한 것인데 모두 낙찰이 된 것이다. 기쁨도 잠시 그때부터 아내와 머리를 맞대고 고민을 하기 시작했다. 수중에 있는 투자금은 400만 원. 묘지는 낙찰가가 290만 원, 농지는 낙찰가가 310만 원이었다. 하나를 선택해야 하는 상황이었으며 입찰 보증금 30만 원을 포기해야 했다. 둘 다 떨어질까 봐 보증금을 포기하려는 생각까지 하며 입찰한 것인데, 그 최악의 상황에 맞닥뜨리게 된 것이다. 그 당시에 30만 원은 정말 큰돈이었다. 아내와 이야기 끝에 두 개의 물건 중 묘지를 선택하기로 했다. 그 이유는 내가 임장을 다녀와 받은 느낌이 좋았고, 농지는 임장을 가지 않은 상태에서 서류상으로만 분석을 끝낸 후 입찰한 것이었다. 그래도 직접 현장을 가서 본 것을 입찰하는 게 나을 거라는 판단에 묘지를 선택한 것이다. 아내와 이야기를 끝낼 무렵 모르는 번호로 전화가 왔다. "안녕하세요? 자산관리공사 경남지역본부입니다. 도강민 선생님 되시나요?" "네, 맞습니다." "입찰하신 농지 물건 공유자가 우선 매수 신청해 주셔서 연락드립니다." 한 편의 드라마 같은 일이 일어났다. 왜 드라마 같은 일이냐면 1등으로 낙찰되었지만 공유자 우선 매수가 들어온 순간 난 2등으로 밀려나기 때문이다. 카톡을 보고 30분을 채 고민하기 전에 자산관리공사 담당자에게 연락이 왔고, 공유자가 우선 매수를 했기에 낙찰이 취소되었지만 보증금을 돌려받는 이상적인 상황으로 전환이 되었다.

이쯤에서 공유자 우선 매수에 대해 말하자면, 낙찰 받은 물건을 지분으로 소유한 공동명의 물건이다. 낙찰된 지분 외에도 다른 소유자들이 있다. 근데 연고가 없는 타인이 토지를 매수하기보다는 원소유주가 토지를 가져가는 게 좋겠다는 취지에서 시작된 제도라고 생각하면 쉽다. 그렇기에 만약 공유자가 공유자 우선 매수를 한다면 낙찰이 된 최고가에 우선 가져갈 수 있는 권리를 주는 것이다. 지금도 그때를 회상하면 참 신기하다. 이제껏 지분 경매를 많이 했지만 공매 물건에서 공유자 우선 매수 신청이 들어온 것은 지금까지 딱 세 번밖에 없었다. 그 중에서 첫 번째가 첫 입찰이었으니 말이다. 지금은 낙찰 받기 위해서 공유자 우선 매수 신청이 안 들어오길 바라는 입장이지만, 이때는 그 전화가 그렇게 반가울 수 없었다. 농지 물건은 내가 서류상으로만 보고 입찰을 했지만 물건을 잘 고른 사례이기도 하다는 말이다.

그런데 낙찰은 되었는데 그 다음은 어떻게 해야 하는 거지? 모든 것에 무지했다. 잔금은 언제 내는지, 어떤 것을 준비해야 하는지 하나도 모르고 있었다. 이때 전화가 왔다. 자신을 자산관리공사 담당자라고 밝혔는데 낙찰받은 묘지의 담당자였다. 이메일로 절차에 대해 안내문을 보낼 테니 보고 서류 준비를 하라고 했다. 낙찰되면 이렇게 안내를 해주는 게 당연한 것인 줄 알았으나 그 후로 많은 물건들을 공매로 낙찰 받았지만 이렇게 절차에 대해 안내해 준 곳은 충북지사 담당자밖에 없었다. 덕분에 난 서류를 보고 무엇을 준비해야 하는지 알게 되었고 소유권 이전 등기까지 완료했다.

소유권 이전 등기를 처음 해봐서 실수가 있을까 봐 직접 서류를 들고 자산관리공사에 가서 검사를 받으려고 방문했는데, 지금은 그렇게 할 필요 없이 준비된 서류를 자산관리공사에 등기로 보내면 여러 기회비용을 줄일 수 있다.

경쟁 말고 독점하라

여담이지만 서류를 제출하러 자산관리공사에 방문하였을 때에 담당자가 내 또래로 보였다. 담당자도 웬걸 젊은 사람이 와서 흠칫 놀란 듯했다. 지금 생각해보니 담당자가 공사에 갓 취업을 해서 FM 대로 일 처리를 했던 것 같다. 덕분에 난 초심자일 때에 많은 도움을 받았다. 이 자리를 빌어 한동건 서무원님에게 감사하다는 인사를 전한다.

잊지 못하는 첫 수익

일단 소유권을 가져오는 소유권 이전 등기까지는 여차저차 마무리를 했다. 다음 순서는 본래 목적인 수익을 내기 위해 소유권을 가지고 있는 공유자에게 내용 증명을 보내는 일이었다.

먼저 내용 증명에 대해 이야기해 보자. 내용 증명은 우체국에서 우편물의 내용을 서면으로 증명해 주는 제도로, 발신자가 우편물의 기재 내용을 소송상의 증거 자료로 삼으려고 할 때 이용된다고 표준국어대사전에 나와 있다. 즉 발신인이 수신인에게 어떤 내용의 문서를 언제 발송했다는 사실을 우체국에서 공적으로 증명하는 우편제도이다. 주로 경매에서 낙찰 후 앞으로 어떤 절차를 밟을 것이라고

경쟁 말고 독점하라

의사 표현을 하는 것이다.

여러분은 살면서 내용 증명을 얼마나 보냈는가? 경매를 하는 투자자들에게는 일상일 것이고, 이제 경매를 시작하는 입문자들에게는 생소한 게 내용 증명일 것이다. 왜냐하면 살면서 잘못을 하지 않으면 거의 받을 일이 없기 때문이다. 경매를 하기로 마음먹었다면 내용 증명과 친해져야 하고 잘 활용해야 한다. 내용 증명 한 통이 몇백만 원, 몇천만 원의 수익을 가져다주기도 하니 우리에게는 효자인 셈이다. 앞에서 말했듯이 내용 증명은 우편물의 내용을 우체국에서 증명하는 제도라고 했다. 내용 증명을 한 사람에게 보내고 싶으면 총 3부를 출력하면 된다. 1부는 내가 보관하고, 1부는 발송하고, 1부는 우체국에서 보관하기 때문이다. 인터넷 우체국 사이트에서 온라인으로 발송이 가능하다.

그러면 동문 내용 증명에 대해서도 알아보자. 한 사람에게 내용 증명을 발송하려면 총 3부를 출력하면 된다고 했다. 그럼 세 명에게 내용 증명을 보내려고 한다. 몇 부가 필요할까? 동문 내용 증명, 말 그대로 같은 내용의 내용 증명을 보낸다는 것이다. 동일한 내용의 동문 내용 증명을 발송할 때는 내가 보관할 1부, 우체국 보관용 1부, 발송용 3부(3명에게 발송해야 하므로), 총 5부를 준비하면 된다.

경매를 통해 낙찰되고 공유자가 우선 매수를 하지 않으면 해당 토지는 우리에게 최종 낙찰된다. 이제 협의를 해야 하는데, 지분 경매를 하다 보면 필수적으로 알아야 할 용어가 공유물 분할이다. 공유물 분할은 내가 가진 지분만큼 토지를 나누어 가져오거나 경매로 토지 전체를 매각시키는 것을 말한다. 보통 이를 위해 '공유물 분할 청구의 소'라는 소송을 통해 이 과정을 거친다. 공유물 분할에 대해 설명하기 위해서는 민법을 살펴봐야 한다. 민법 제262조에서는 공동소유, 즉 공유에 대해 이렇게 정의하고 있다.

> **제262조(물건의 공유)**
> ① 물건이 지분에 의하여 수인의 소유로 된 때에는 공유로 한다.
> ② 공유자의 지분은 균등한 것으로 추정한다.
> 민법상 공동소유는 수인의 사람이 가지고 있을 때 공유로 한다고 정해두고 지분은 균등한 것으로 추정한다고만 되어 있다.

그 다음 민법 제263조를 보자.

> **제263조(공유지분의 처분과 공유물의 사용, 수익)**
> 공유자는 그 지분을 처분할 수 있고 공유물 전부를 지분의 비율로 사용, 수익할 수 있다.

이제 이 땅의 공유자가 되었으니 내가 가진 지분 비율로 토지를

경쟁 말고 독점하라

사용할 수 있고 지분을 처분할 수도 있다. 하지만 여기서 중요한 것이 내가 어떠한 부분을 사용하는지 토지의 위치에 대한 설명은 나와 있지 않다. 그렇다. 그래서 공유물 분할이 가능한 것이다.

민법에서는 공동소유의 분할의 방법에 대해서도 명시해 두었다.

제269조(분할의 방법)
① 분할의 방법에 관하여 협의가 성립되지 아니한 때에는 공유자는 법원에 그 분할을 청구할 수 있다.
② 현물로 분할할 수 없거나 분할로 인하여 현저히 그 가액이 감손될 염려가 있는 때에는 법원은 물건의 경매를 명할 수 있다.

민법 263조의 경우 지분 비율대로 토지를 사용할 수 있다고 했으나 위치에 대해서는 언급이 없었다. 즉 해당 토지를 가지고 있으면서 어떠한 곳을 사용할지 위치는 특정하기 어렵다는 것이다.

그럼 269조 1항을 보자. 분할의 방법에 관하여 협의가 성립되지 않으면 공유자는 법원에 그 분할을 청구할 수 있다고 했다. 누구나 좋은 땅을 가지고 싶어한다. 예를 들면 도로와 가까운 땅, 경사가 없는 평평한 땅으로 말이다. 하지만 다들 이런 땅을 원하지 않겠는가? 이런 경우 법원에서는 공유자들이 분할에 대해 협의가 되지 않는다고 보아 소송을 통해 분할하라고 이런 규정을 만들어 두었다.

소송을 하는 것까지는 좋다. 하지만 공유물 분할의 원칙은 '현물 분할'이다. 말 그대로 현물, 내가 가진 면적만큼만 토지를 가져가라는 것이다. 내가 가진 면적이 300평인데 다른 공유자에게 피해를 주지 않고자 현물 분할이 공유물 분할의 원칙이다. 내가 300평을 낙찰받고 협의가 되지 않아 공유물 분할 소송을 제기했다고 하자. 법원에서는 내가 300평만큼의 지분을 가지고 있으니 원칙대로 300평을 잘라서 가져가라고 판결을 했다. 이게 여러분이 원하는 그림인가? 그렇지 않다. 우리는 이 토지가 필요해서 낙찰 받은 것이 아니다. 그렇기에 현물 분할 판결이 난다면 전혀 값어치가 없는 땅 300평이 생기는 것뿐 실질적으로 이득이 없을 가능성이 크다.

민법 269조 2항에서 현물로 분할할 수 없거나 분할로 인하여 현저히 그 가액이 감손될 염려가 있으면 법원은 물건의 경매를 명할 수 있다고 했다. 바로 이거다. 우리는 토지가 필요 없으니 이 2항을 이용하여 토지를 경매로 매각해 달라고 해야 한다. 내가 300평을 가지고 있으니 경매도 300평만 처분한다고 생각할 텐데 그렇게 처분하지 않는다. 토지 전체가 900평이라면 900평 전체를 경매로 처분하고 그 가운데 1/3인 300평을 가지고 있는 것이니 900평이 경매로 매각된 금액의 1/3을 배당받게 된다. 현금으로 받는다고 하여 이를 '현금 분할'이라 표현한다. 현물로 토지를 받는 것보다는 내 투자금을 회수하기 위해서는 현금 분할이 훨씬 더 좋은 방법이다. 공유자 입장에서도 경매로 매각된 것은 1/3인데 묘지가 있는 땅과 본인 지분까지 다 경매로 넘어간다고 하면 누가 좋아할까? 이런 심리를 이용해서 협상을 유리하게 이끌어 가는 것이기도 하다.

다시 본론으로 들어가서 내용 증명을 보내야 한다는 것은 알겠는데 어떻게 써야 할까? 내용 증명을 보내려니 눈앞이 캄캄했다.

내용 증명을 쓰는 정해진 양식과 틀이 있는 줄 알았다. 포털 사이트에 '내용 증명 양식'을 검색했더니 그때마다 다른 양식과 내용이 나왔다. 예전에 소장을 접수할 때에도 법원에 제출하는 것이니 변호사들이 쓰는 양식처럼 작성해야 한다고 생각했는데 내용 증명과 소장에는 정답은 없다. 결론은 내가 전하고자 하는 말만 잘 담으면 된다. 여러 양식들을 참고하여 내용 증명을 완성했다. 드디어 처음으로 내용 증명을 발송하고 결과를 기다렸다. 내용 증명을 발송하고 가장 이상적인 것은 공유자 모두가 내용 증명을 수신하는 것이지만 이는 매우 어려운 일이다. 공유자의 주소가 이사 등에 의해 바뀌어 반송되는 경우가 많다.

내 첫 물건의 내용 증명은 반 정도가 수신하고 나머지는 반송되었던 것으로 기억한다. 처음 보낸 내용 증명이 반송된 것을 보며 아쉬울 수밖에 없었는데, 심지어 반송을 받으려면 반송료도 내야 했다(가격 차이가 있겠지만 대략 2천 원가량). 그 당시에는 아니 반송되어 오는 것도 억울한데 돈까지 내야 되나라고 생각했다. 그래도 다행인 것은 채무자의 모친이 내용 증명을 받았다. 인터넷우체국 홈페이지에서 등기번호를 조회하면 누가 내용 증명을 받았고, 받은 사람은 채무자와 무슨 관계인지 알 수 있다. 채무자의 모친이 받았으니 곧 연락이 올 것이라고 생각하며 설레는 마음으로 기다렸다. 하지만 기대와는 달리 아무 연락도 오지 않았다. 기약 없는 기다림을 계속할 수는 없어서 다음 내용 증명을 준비했다. 두 번째 내용 증명도 채무자의 어머니가 수신하였는데, 그로부터 며칠 뒤 모르는 번호로 전화가 걸려왔다. 본인을 채무자라고 밝히며 모친께서 내용 증명 2통을 받은 후 가지고만 있다가 뒤늦게 확인하고 아들에게 전화로 알려줬다고 했다. 채무자는 구미시에 거주하고 있었고 본인이 사업을 하다가 부도가 났다고 설명하며 재기하려고 준비 중이니 조금만 기다려 달라고, 돈을 금방 마련하겠다고 말했다. 이 물건이 처음인 데다가 당시 내 나이는 26세로 어리다면 어린 나이였기에 순진하게 채무자 말만 믿고 곧 해결이 되겠구나 생각했다.

묘지 경매를 하며 채무자들과 몇 번 만난 경험이 있다. 채무자는 대부분 경매를 시작한 초창기에 만났는데 그 이후 가급적 어떠한 연락도, 만남도 갖지 않는다. 왜냐하면 채무자를 만나보니 이 사람들의 특징이 있다.

첫째, 본인이 좋았던 과거에 빠져 있다. 내가 예전에는 사업을 해서 잘 나갔는데, 그때는 어땠는데 등 이렇게 말이다. 자기방어기재일 수도 있겠지만 현재는 그러지 못하기에 과거를 회상하며 위안을 삼고 있는 듯하다. 이런 부류는 꼭 돈이 있는 척을 한다. 채무자가 돈이 있다고 하면 의심부터 해 보아야 한다. 상식적으로 돈이 있다면 이 물건들이 경매나 공매로 매각이 되었겠는가?

둘째, 무책임하다. 이 묘지가 경매나 공매로 나오게 된 것은 본인이 빚 또는 세금을 변제하지 못했기 때문이다. 그렇기에 본인과 같이 공동 명의로 소유하던 가족, 친척들이 피해를 본 것이기에 책임감이 있다면 미안해하거나 본인이 해결하려고 가족에게 연락을 취해 도와달라고 하는 게 인지상정일 것이다. 하지만 내가 만난 채무자는 본인은 모르겠다, 알아서 해라 식의 부류가 많았다. 아마 채무자의 70% 이상은 이러할 것이다. 제 코가 석 자라 그럴 것이라며 애써 위안해 본다.

이런 이유로 채무자에게 연락을 해봤자 결국 얻을 게 없다. 그래서 수강생들에게도 채무자와 긴 대화를 할 필요가 없다고 누누이 강조한다. 채무자에게 속아본 경험이 있다면 내 말에 충분히 공감할 것이다.

첫 낙찰 물건의 채무자도 일단 말은 좋았다. 본인이 재기하려고 준비 중이니까 조금만 기다려 달라는 말을 철석같이 믿고 기다렸지만 일주일이 지나도 연락이 없었다. 전화를 해도 받지 않았다. 이때 무엇인가 잘못되었음을 감지했다. 그래서 채무자에게 '믿고 기다렸는데 이렇게 나오시면 절차대로 할 수밖에 없다'는 문자를 남겼다. 2주간 연락이 없던 사람에게 답이 왔다. 본인은 모르겠으니 알아서 하라고. 그동안의 기다림이 허망했다.

처음부터 묘지 경매를 하고 싶었겠는가? 가진 돈으로 가정을 돌봐야 했기에 시작했고, 다른 사람의 묘를 낙찰 받아 이장을 시키는 둥 마는 둥 하는 것도 이것이 도의에 맞는 것인지 많이 고민했다. 하지만 이제 확신이 섰고 강하게 나가기로 했다. 다른 공유자에게 최후통첩으로 '더 이상 협의할 생각이 없으니 법원에서 만나자'는 내용증명을 보냈더니 이틀이 채 지나지 않아 연락이 왔다. 다행히 공유자와 합의점을 잘 도출했고 매도를 했다. 낙찰 후 매도까지 기간은 1개월 반이 걸렸고 290만 원에 낙찰받은 첫 땅은 1,000만 원에 매도할 수 있었다. 1개월 반 만에 700만 원의 차익이 생긴 것이다. 내가 받던 월급의 5배가 되는 금액이었다. 마음 고생은 했지만 월급의 5배가 되는 금액을 얻으니까 머리를 망치로 한 대 맞은 듯 떵했다. "아, 이게 정말 되는구나." 내가 첫 묘지를 매도하며 느꼈던 생각이다.

많은 사람이 공유자에게 전화가 오면 뭐라고 해야 하는지 궁금해한다. 보통 공유자의 대부분은 "어디어디 누구입니다."고 밝힌 후 첫마디가 "어떻게 하실 생각이세요?"이다.

지분 경매를 하기 전에 이런 말을 많이 들었다. 낙찰을 받고 빨라야 6개월, 보통 1년 정도는 생각하고 입찰해야 한다고. 하나 같이 그렇게 말하길래 나도 그런 줄 알았다. 내가 묘지 경매 이야기를 개인 블로그에 쓰기 시작하면서 활동하기 전에는 지분을 낙찰 받아 6개월 만에 얼마에 매도한 이야기, 1년 안에 지분 매도한 후기가 자랑처럼 판쳤다. 하지만 내가 활동한 뒤에는 그 기간에 매도한 것이 자랑거리가 되지 않는다고 생각하는 사람이 많아졌고 단기 매도 인식도 많이 바뀌었다. 6개월이나 1년이 걸린다고 했던 것들을 1, 2개월 안에 해결해 버렸으니 말이다.

묘지 경매를 처음 시작할 때에 그런 글들을 보며 1년에 2건밖에 해결하지 못하는 거야? 돈을 빨리 벌어야 하는데 그렇게 하면 돈이 얼마 안 될 것 같은데? 이런 생각이었다. 그래도 간절함에 이끌려 직접 해보자고 실전에 뛰어들어보니 달랐다. 나 같은 초보도 300만 원으로 1개월 반 만에 수익을 낸 것이다. '백문이 불여일견'이라는 말을 몸소 체험한 케이스였다.

옛말이 틀린 게 하나 없고 직접 해보는 것보다 좋은 것은 없다. 입찰 한 번 못 하고 1년간 경매 공부만 했던 기간보다 입찰에 직접 참여하여 물건을 해결한 그 기간 동안 훨씬 많은 것을 배웠다. 여러분도 이 책에 풀어 놓은 노하우를 직접 실행하며 본인 것으로 체득하기 위해 노력하기를 바란다.

초보자도 할 수
있을까요?

독자 가운데는 경매 자체를 처음 접하는 사람도 많을 것이다. 처음 경매를 하면 겁이 나기 마련인데, 묘지 경매는 들어가는 투자금이 적다 보니 이 부분에 매력을 느꼈을 수도 있다. 경매에 입문하는 사람들이 나에게 꼭 물어보는 질문이 있다. '경매가 처음인데 묘지 경매를 할 수 있을까요?' 관심이 있고 이를 잘 활용하고 싶은데 과연 잘 해낼 수 있을까 걱정하는 마음일 것이다. 내 대답은 항상 똑같다. 본인의 노력에 따라 다르다고 말한다.

나 역시 첫 경매를 묘지로 시작했다. 교육을 하며 느낀 것은 오히려 경매가 처음인 사람들이 더 잘한다. 아니 좋은 물건을 더 잘 찾는다고 표현하는 게 맞겠다. 왜냐하면 이들은 지금 백지 상태의 도화지와 같다. 내가 인풋을 하면 그것을 통해 충분히 좋은 그림을 그린다. 그러나 경매를 조금이라도 해본 사람들은 본인 생각이 어느 정도 잡혀 있다. 내가 이렇게 찾고 저렇게 하라고 말하면 일정 부분은 수용하지만 나머지는 본인의 생각대로 바꾼다. 물론 본인에게 맞게 응용하고 진화하는 것을 나쁘다고 하는 것이 아니다. 다만 이렇게 변화시키는 과정에서 교육 내용이 변질되는 경우가 있기에 우려하는 것이다.

난 우리나라에서 묘지를 가장 많이 매도했다고 자부한다. 하지만 나도 처음부터 잘하지는 않았다. 묘지 경매를 한 건 한 건 하며 새로운 사실을 배우고 그 과정을 거치다 보니 지금의 상황이 되었다. 그 과정에서 직접 보고 느낀 노하우를 집약해서 알려주는 것인데, 시키는 대로 하면 수월할 것을 돌아가는 경우를 보았다. 그런 면에서는 오히려 입문자가 더 뛰어나다고 생각한다. 여러분도 이 책을 읽으며 도화지를 채워 간다고 생각하면 한결 마음이 편할 것이다.

본인의 노력에 따라 다르다고 한 것은 무슨 의미일까? 아무리 좋은 정보라도 활용하지 못하면 그저 소모성 정보에 불과하다. 내가 활용을 해야만 소모성 정보에서 가치 있는 정보로 변한다. 돈이 되는 정보임을 알고 있음에도 불구하고 나중에 해야지, 나중에 나중

경쟁 말고 독점하라

에 이런 식으로 미루다가 결국 지식을 돈으로 바꾸지 못하는 사람들을 여럿 보았다. 그래서 교육 후에는 항상 본인의 노력이 중요하다고 강조한다. 아니 돈이 되는데 왜 안 하냐고 생각하는 독자가 있을 것 같은데, 여러분은 사람들이 돈이 되는 정보를 얼마나 활용한다고 생각하는가? 생각보다 사람들은 돈이 되는 걸 알려줘도 잘 실천하지 않는다. 본인의 굳은 결심과 결정적인 계기가 있어야 움직이기 때문이다.

예를 들어보자. 내가 빈털터리에서 묘지 경매를 통해 점점 변해가는 모습을 주변에서 본 지인들도 묘지 경매가 돈이 되는 것을 알지만 그저 바라만 보고 있다.

난 어린 나이에 결혼을 하여 가정을 꾸렸다. 주위의 우려 섞인 시선도 많았다. 묘지 경매를 처음 할 때는 "왜 그렇게까지 하느냐?"라는 말도 많이 들었다. 그러나 좋은 집과 차, 멋진 옷 등 삶이 변해가니 한두 명씩 나도 해볼 수 없느냐고 물어보았다. 그래서 방법을 일러줬지만 실행하지 않고 물음에서 그친 사람이 많다. 본업이 있다는 핑계를 대면서. 본업보다 훨씬 더 가치 창출을 할 수 있는 일임에도 말이다.

인간은 생각보다 실행력이 강한 동물이 아니다. 극한에 서야 비로소 움직이는 경우도 많다. 나 역시 극한의 상황이 아니었다면 묘지 경매를 시작하지 않았을 수도 있다. 2018년 겨울 그 어려움 속에 기회가 찾아왔고 그것을 잡은 것에 감사할 따름이다.

다시 돌아가서 묘지 경매를 초보가 하기에 쉬운 이유는 권리분석이 간단하기 때문이다. 경매에 입문하면 권리분석에 시간을 많이 할애한다. 권리분석은 낙찰 후에 가져와야 할(인수해야 할) 권리가 있는지 등을 확인하는 절차이다. 통상 주거용 경매로 입문을 하니 이것으로 예시를 들어보겠다.

이사를 하면 전입신고를 하고 확정일자를 받는다. 임차인이 있는 경우 임차인의 전입일자를 따지게 된다. 집에 대출이 있으면 대출 실행일자보다 전입일자가 빠른지, 그 뒤에 전입이 되었는지 말이다. 임차인 전입일자가 대출 실행일자보다 앞에 있다면 이 임차인은 '대항력이 있다'고 한다. 이런 식으로 처음 경매에 입문하면 대항력을 따지며 임차인의 돈을 보장해야 하는지 등 권리분석을 공부하는 데 많은 시간을 할애한다. 경매에서 가장 기본이 되는 게 권리분석이기 때문이다.

그런데 묘지는 거주하는 사람이 없다. 그래서 권리분석을 '거의' 할 필요가 없다. 거의라고 말한 이유는 선순위 가등기, 선순위 가처분 등 인수할 권리가 있는 경우인데, 이런 경우는 묘지 전체에서 1~2% 내외로 희귀하다. 이 부분이 초보자에게 메리트로 작용한다.

초심자일 때는 권리분석을 공부하고도 잘못 분석한 게 아닌지 걱정이 되어 입찰까지 이어지지 못 하는 경우가 있다. 나도 낙찰가가 채권 금액(채무자의 빚)보다 저렴하면 나머지 채권 금액은 내가 인수해야 한다고 생각했던 시절이 있었으니 말이다.

그렇다고 해서 권리분석을 아예 공부하지 말라는 것은 아니다. 묘지 경매를 통해 시드머니를 모은 후에 아파트나 상가를 낙찰 받을 수도 있으므로 더 큰 그림을 그리기 위해서는 꼭 필요한 과정이다. 기본적인 개념에 대해 알고 차근차근 깊이 있게 들어가면 된다는 말이다. 고민이 많은 사람보다는 실행이 앞서는 사람이 더 잘한다.

한 살이라도 젊을 때
시작하자

결론부터 말하면 경매는 한 살이라도 젊을수록 더 잘한다. 이게 무슨 말이냐고요? 나이와 경매가 무슨 상관이 있냐고요? 처음 경매 입찰을 위해 법원에 갔을 때 굉장히 놀랐다. 요즘에는 부동산에 대한 관심이 급증하여 젊은 사람들도 경매 시장에 관심을 가지게 되었지만 불과 3~4년 전만 하더라도 대부분 4, 50대이거나 더 연배가 있는 사람들이 많았다. 입찰 당일 법원에서 개찰 결과를 기다리는데, 흰머리가 희끗희끗하신 분들만 눈에 띄었다. 그때 이런 생각을 했다. 내가 이분들보다 인터넷을 더 잘 활용하니까 정보력 싸움에서 질 일은 없겠다.

그렇다. 경매에서는 정보가 힌트이자 힘이 되는 경우가 많다. 이 부분이 중요하다는 것을 깨닫고 내가 확실히 유리하겠구나 생각했다. 이 생각은 아직까지 변함이 없다. 세상이 발전하는 만큼 유용한 부동산 사이트(부동산 관련 스타트업)가 많이 나오고 있다. 이런 것은 한 살이라도 젊으면 쉽게 접하고 활용할 수 있기에 정보력 싸움에서 이길 수 있다. 물론 젊은 사람이 연륜에서 나오는 경험과 대처에서는 뒤처질 수 있다. 노하우는 경험과 비례하지만 경험은 채우면 그만이다.

여러분도 한 살이라도 젊을 때 시작한 것이 나중에 돌아봤을 때 참 잘한 선택이었다고 느끼는 날이 올 것이다. 나의 경우 묘지 경매를 시작하고 정확하게 1년 3개월 뒤에 첫 수입차인 벤츠를 출고하면서 경매를 참 잘 선택했다고 생각했다.

또 하나는 누구나 살면서 경매 공부는 한 번쯤은 해야 한다고 생각한다. 경매를 하는 이유는 수익을 창출하려는 목적이 가장 크지만, 경매를 공부하면 투자하기 전에 자산을 지키는 방법을 먼저 배울 수 있다. 우리가 살아가는 데는 의식주가 필요하다. 여기서 주, 특히 집은 무조건 필요하다. 집이 자가이면 가장 좋지만 집을 마련하기 전에는 부득이하게 임차인이 될 수밖에 없다. 임차인 입장에서 전월세를 구하다 보면 집에 대출이 있는 경우가 있다. 앞부분에서 권리분석에 대해 말했다시피 내가 임차인이라면 대항력을 가지는 경우가 좋다. 그래야만 내 피 같은 전세금을 지킬 수 있으니 말이다.

경매를 공부하면 가장 먼저 주택임대차보호법을 알게 된다. 전세보증금, 월세보증금을 지키려면 이 법에 대해 알아야 하는데, 경매 공부를 하면 돈을 벌면서 동시에 돈을 지키는 방법도 배우게 되는 것이다. 이런 일련의 과정을 공인중개사가 대신 처리해 주지만 직접 아는 것과 아무것도 모른 채 남에게 맡기는 것은 전혀 다르다. 꼭 공부하기를 바란다.

요즘은 주위에 자영업을 하는 사람이 한둘은 있다. 부업으로 무인창업을 하거나 퇴사를 하여 내 사업체를 꾸리는 것을 목표로 하는 사람들도 늘고 있다. 이처럼 자영업은 우리와 밀접하다. 자영업자의 대부분이 상가를 매매하는 것이 아닌 임차해서 사업을 하게 된다. 상가는 주거용 부동산보다 건물에 대출이 있는 경우가 더 많다. 그런데 대부분의 임차인이 주택을 임차할 때는 대출에 그렇게 신경을 쓰면서 상가 건물에 담보 대출이 있을 때에는 대수롭지 않게 여기는 경우가 많다. 주택의 경우 일명 깡통 전세, 전세 보증금 사기 등 매스컴에서 많이 다루어 경각심을 가지는 이유가 있는 듯한데, 상가도 별반 다르지 않다.

현재 보유 중인 상가 가운데 분리 상가(건물 전체가 아닌 한 호실)를 임

경쟁 말고 독점하라

차인과 직거래로 계약한 경우가 몇 번 있었다. 이때 임차인이 보증금이 적은 돈이 아니었는데도 근저당이 잡혀 있지는 않은지 궁금해하지 않았다. 경매 공부를 하면 상가임대차보호법을 배우기 때문에 위와 마찬가지로 내 돈을 지킬 수 있는 것이다. 꼭 수익을 내기 위해서가 아니더라도 경매를 공부해야 하는 이유이다.

월 140만 원에서 1천만 원까지

앞에서 말했듯이 도축장에서 일을 할 때에 내 월급은 세금을 제하고 140만 원이었다. 이러던 내가 전업 투자를 하며 월 1천만 원을 달성했을 때 어떤 기분이 들었을까?

묘지 경매에 입문한 지 3개월 만에 1천만 원이 넘는 수익을 냈다. 생각보다 빠른 시간에 1천만 원을 달성했지만 일회성 수익은 의미가 없다. 결국 꾸준한 수익을 내야 하는데 이 매도 사이클을 만드는 데 6개월 정도가 걸렸다. 날아갈 듯이 기뻤지만 당황스럽기도 했다. 7, 8개월을 꼬박 일해야 벌 수 있는 돈을 내용 증명과 전화 몇 통으로 이렇게 벌다니. 그동안 난 무슨 고생을 하고 있었던 건지, 이렇게 쉽

　　　　　　　　　　　　　　　　　　　경쟁 말고 독점하라

게 돈을 벌어도 되는지 하고 생각했다.

26세가 느끼기에 그 수익은 너무 컸다. 돈을 못 벌다 많이 벌면 으쓱해지고 여러 가지 감정을 복합적으로 느끼게 된다. 그러나 일시적인 수익은 안 된다. 여러분이 이 책을 보고 묘지 경매에 관심을 가진다면 꼭 수익을 지속적으로 창출할 수 있도록 노력해야 한다.

내가 이번 달에 물건을 매도해서 돈을 꽤 벌었다고 치자. 그러다가 다음 달에는 물건을 매도하지 못 하면 안 된다는 말이다. 꾸준히 내 사이클을 만들어 줄 물건 리스트를 만들고 이를 매도해야 한다.

처음부터 이게 가능하지는 않다. 이번 달에 물건을 매도하고 다음 달에 매도할 물건이 없다? 그러면 수익은 0원이 된다. 고로 난 1개월을 할 일 없이 놀게 되는 것이다. 사실 월 1천만 원이라는 돈은 1개월에 묘지를 한두 건만 매도하면 어렵지 않게 얻을 수 있는 수익이다. 이렇게 하기 위해서는 여러분만의 사이클을 만들어야 한다. 특히 전업 투자를 고민하고 있다면 더욱 말이다.

여러분에게 묘지 경매를 배우면 무조건 월 1천만 원, 2천만 원을 벌 수 있다는 헛된 기대를 주고 싶지는 않다. 무엇을 배우더라도 결국 이를 행하는 사람의 의지와 노력이 중요하기 때문이다. 최소 6개월은 경매에 미쳐 보아야 꾸준한 매도 사이클을 만들 수 있는 것이다.

교육을 하다 보면 여러 사람을 만난다. 시골집이나 땅을 지분으로 낙찰받아 200만 원, 300만 원의 소소한 수익을 올리며 만족하는 사람이 있는가 하면, 여러 물건을 낙찰받은 후 천천히 하나씩 풀어가는 사람도 있다. 소소한 수익을 올리는 사람에게 왜 그 정도의 차익만 보고 팔았는지 물으니 다른 주부보다는 낫고 집에서 쉬는 것치고 수익이 발생해서 만족하며 팔았다고 했다. 여러 건을 낙찰받아 1~2년씩 보유하며 처리하는 사람은 낙찰을 받고 어떻게 해결해야 좋을지 몰라 소송을 진행하면서 하나씩 팔았다고 했다. 실력이 있는 사람도 중간 풀이과정을 모르면 소송을 접수하고 법원에서 공유자를 만나 풀어가는 기간이 1년 이상 걸린다. 이런 물건이 굉장히 많다. 사람마다 차이가 있겠지만 매도 기간이 1년 이상 걸린다면 다시 생각해 보아야 한다. 묵힐수록 시세가 상승하는 부동산이면 오래 보유하는 것이 좋지만 지분 경매는 개발로 인한 보상이나 호재를 제외한다면 묵힌다고 해서 더 많은 시세 차익을 얻기는 어렵다.

무엇을 하느냐도 중요하지만, 어떻게 하느냐가 더 중요하다. 경매를 한다는 자체가 중요한 게 아니라 어떤 경매를 하는지가 중요하다는 말이다. 여러분도 단기 성장이 목표라면 매도 사이클을 만들기 위해 끊임없이 노력하라.

20대는
성공할 수 없다고요?

　독자 가운데 2030 세대들이 많을 것이다. 친구들을 보면 아직 자리를 잡지 못했거나 금수저가 아니라면 여유로운 삶을 누리며 살고 있지는 않다. 하지만 힘이 들 뿐이지 절대 불가능한 일은 아니라고 생각한다.

　20대에는 성공하기 힘들다, 20대는 30대로 가기 위해 여러 경험을 하며 부딪히는 시기일 뿐이라는 말을 많이 들었다. 여러 가지 경험을 하는 때라는 말에는 공감하지만 이 말을 처음 들었을 때는 반감을 가졌다. 내 꿈은 20대에 성공한 삶을 누리는 것이었는데 이들의 말이 20대에는 꿈을 이루지 못할 거라고 마치 나에게 말하는 듯하여 더

보란 듯이 성공하고 싶었다.

　아마 이들은 본인이 살아온 20대, 주위에서 보는 20대를 보고 말했을 것이다. 물론 내 주위만 보아도 20대에는 다른 생각을 할 여유가 없는 듯하다. 졸업 후 취업을 고민하고 앞으로의 삶을 설계하는 시기이기 때문일까? 그렇기에 더욱 돈이 되는 공부를 해야 한다고 생각한다.

　나도 그저 노는 것 좋아하고 책을 한 권도 안 읽는 평범한 대한민국 성인이었다. (실제로 성인 연간 평균 독서량은 독서를 즐기는 성인에 의해 그나마 그 정도 권수가 나온다 생각한다.) 아이가 태어나고 1년 동안 삶을 변화시킬 노력조차 하지 않았다는 뜻이다. 앞에서 말했듯이 책을 읽게 된 계기는 앞으로 나아갈 길에 대해 너무 막막해서였다. 어른들을 만나면 항상 조언을 구하고 그 조언 속에서 길을 찾으려고 노력했다. 그러다가 문득 이런 생각이 들었다. 이 사람이 살아온 삶을 말을 통해서 배우고 여기서 얻는 게 있는데, 책을 보면 시공간의 제약 없이 더 많은 도움을 얻을 수 있겠다는 생각에서 독서를 하기 시작한 것이다. 난 가정과 아이가 있었기에 상근예비역으로 군 생활을 했다. 예비군 업무를 담당하며 출퇴근을 할 수 있었다. 이때에 나의 기반을 많이 다졌다. 책과 신문을 읽는 습관, 법률 공부까지 말이다. 예비군 부대는 9시에 업무가 시작되는데 난 항상 8시면 출근을 했다.

일찍 출근해서 오전에 할 일들을 9시 전에 마무리해 두었다. 예비군 부대에는 병사들을 관리하는 예비군 중대장님이 상주했는데 전역 후에 무엇을 할지 고민하라고 조언하셨고, 내가 할 일을 마치면 그에 맞게 시간을 할애해 주셨다. 그래서 한 시간 먼저 출근을 해서 오전에 처리할 일들을 미리 한 것이다. 오전 대부분 시간을 신문을 보고, 책을 읽을 수 있었다.

책을 한두 페이지 읽으면 꾸벅꾸벅 졸던 내가 1년 9개월 동안 꾸준히 책을 읽었더니 세상의 흐름을 읽을 수 있는 작은 시야가 생겼다. 이때부터 6년이 지난 지금까지 여전히 경제 신문을 구독하고 있고 이를 읽으며 하루를 시작한다.

군을 제대하자마자 가장 먼저 한 일은 법인을 설립한 것이었다. 법인이라고 하면 거창해 보일 수 있으나 어차피 사업을 할 것이고 돈을 많이 벌 것이라고 생각하며 법인을 만들었다. 소득세 과표를 보면 돈을 많이 벌수록 법인이 이득인 구조다. 이 구조가 나를 법인 설립으로 이끌었다. 이때가 2018년, 내 나이 25세였다. 계획이 있어서 법인을 만든 게 아니고 내가 가지고 있는 꿈을 이루고 말겠다는 결심 하나만 믿고 만들었다. 지금은 '온라인 법인설립시스템' 홈페이지를 통해 온라인으로 편리하게 법인을 설립할 수 있지만 그때만 하더라도 부동산 법인 설립이 유행하기 전이라서 (부동산 1인 법인은 2019년 문재인 정부의 대출규제 이후 많이 생기기 시작했다.) 법인 셀프 설립에 대한 정보를 얻기가 어려웠다. 인터넷에 있는 정보들을 총동원하여 등기소에 가서 서류를 제출했는데 미흡한 부분이 많아 닷새 중에 사흘은 등기소를 다니며 부족한 부분을 고쳐가며 법인 설립을 마칠 수 있었다.

난 돈이 되는 곳이라면 어디든지 기웃거렸고 누가 돈을 벌었다고 하면 비용을 지불하면서 강의를 들으러 다녔다. 강의 후에는 뒤풀이 자리가 종종 있었는데, 여기에 가면 통성명을 한다. 난 법인의 대표이기는 했으나 수익이 없는 명의만 법인 대표였다. 그래도 있어 보이고 싶어서 부동산 투자법인 대표라고 하면 다들 젊은 나이에 대단하다고 한마디씩 했다. (이 시기는 1인 부동산 법인이 흔치 않았다.) 그때는 그저 거기에 취해 있었던 것 같다. 법인의 대표라는 직위가 나를 있어 보이게 한다는 착각에 빠져 명함도 만들었다. 빛 좋은 개살구였던 것이다.

그 후 1년, 2년 시간이 지나고 점차 투자와 사업을 하며 느낀 것은 허울이 중요한 게 아니라 내실이 중요하다는 것이다. 껍데기는 있지만 결국 사업이든지 투자이든지 간에 수익을 내지 못하면 무용지물이다. 유지할 수가 없다. 누더기를 입고 있더라도 실력이 있으면 언젠가 가치를 알아주고 어디서나 당당할 수 있다는 것을 시간이 지나고 알았다. 일을 하면서 명함을 달라는 사람들이 종종 있다. 하지만 난 지금 명함이 없다. 명함이 불필요한 장치라고 느껴 바로 없앴다. 예전에는 이런 허울이 나를 빛나게 한다고 생각했지만 실력이 없으면 아무짝에도 쓸모가 없다.

지금의 자리까지 오며 느낀 확실한 한 가지는 실력이 없는 사람은 누군가가 본인을 알아주기를 바라지만, 실력이 있는 사람은 가만히 있어도 옆에서 자연스럽게 알아주는 게 만고불변의 진리다.

묘지 경매를 통해 현재 나는 또래들보다 여유로운 삶을 살고 있다. 내가 잘나서가 아니다. 그저 조금 더 일찍 시작했을 뿐이다. 성공에 나이가 중요할까? 의사라는 직업을 예로 들어보자. 의사는 자격증이 필요한 직업이다. 본과 졸업 후 레지던트까지 필수적으로 걸리는 시간이 있다. 반면에 경매는 어떠한가? 본인의 의지에 따라 다르다. 내가 공부하고 싶은 만큼 공부하고 내가 발로 뛰는 만큼 결과가 따라온다. 학력이나 나이, 사회적 지위 등 경매 시장에서는 모두 평등하게 적용되기 때문이다.

경매 시장에 유입되는 인구가 많아 수익 내기 어렵다, 낙찰 받기 어렵다는 등의 말이 있다. 이런 말들이 지금 나온 것일까? 내가 경매를 시작할 때도 있었고, 10년 전에도 항상 먹을 게 없다는 말이 나왔다. 여러분이 이 책을 읽는 지금도 늘 나오는 말일 것이다.

대한민국에서 진행되는 경매 물건이 몇 건 정도라고 생각하는가?

2022년 6월 1일 기준 10,341건이다. 물론 공매는 제외하고 순수히 경매 물건의 숫자이다. 10,000건이 넘는 물건 가운데 내가 수익을 낼 물건이 하나 없을까? 간절히 노력하는 자에게는 기회가 찾아온다. 투자할 돈이 없을 뿐이지 물건은 차고 넘친다. 사람은 간사해서 본인이 관심 있는 것 외에는 잘 들여다보지 않는다. 그렇기 때문에 기회가 한정되어 있다. 내가 관점의 전환으로 성공했듯이 이 책을 통해 여러분의 관점을 바꾸는 데 작은 도움이 되기를 바란다.

경쟁 말고 독점하라

27살에 월 4천만 원을 벌기까지

월 1천만 원, 이 말을 들었을 때에 여러분은 무슨 생각을 했는가? 이미 그 이상을 벌고 있거나 나도 한번 벌어봤으면 좋겠다고 생각했을 것이다. 온라인으로 이런저런 강의가 활성화되고 정보가 많아지면서 돈을 좀 번다는 기준점이 월 1천만 원이 된 것 같다.

이 돈을 벌면 좋을까? 물론 좋고 어느 정도 여유로운 생활은 가능하지만, 월 1천만 원 번다고 부자가 될 수는 없다. 우리는 인간이라 그 목표에 달성하면 또 다른 욕심을 내고 목표를 다시 잡는다.

묘지 경매가 아파트 투자처럼 한 번에 1억, 2억씩 큰돈을 벌 수 있는 투자는 아니지만 본인이 꾸준히 노력만 한다면 1개월에 한 건만 매도를 해도 500만 원에서 1천만 원 정도를 벌기에는 더 없이 좋은 투자라고. 앞에서 말했듯이 묘지 경매로 꾸준한 수익을 만들려면 나만의 매도 사이클을 완성해야 한다. 어떤 달에는 묘지를 팔고 어떤 달에는 팔지 못하면 그 달에 수익은 0원이 되는 것이다. 이게 전업투자자의 치명적인 단점이다.

묘지 경매를 하면서 언제 전업으로 전향할지 그 시기를 묻는 질문을 많이 받는다. 가급적 권하지는 않는다. 묘지 경매를 하다 보면 투자 수익이 월급을 넘어서는 순간이 생각보다 일찍 찾아온다. 이때 전업 투자를 해볼까 고민하게 되지만 섣불리 시작하면 안 된다. 나는 직업이 없는 상태에서 피치 못하게 처음 투자를 시작하면서 업으로 삼은 것인데 이래저래 힘든 상황이 많았다.

일을 하면 월급이 나온다. 이 월급으로 1개월을 생활하고 남는 돈은 저축을 할 수가 있다. 그렇다면 전업 투자자는 어떠한가? 전업 투자자는 소속되어 있는 곳이 없다. 고로 월급이 없다. 예를 들어 내가 500만 원을 가지고 1천만 원을 만들었다고 치자. 그러면 이 1천만 원이 온전한 내 돈인가? 아니다. 월급이 없기 때문에 생활비로 일정 부분을 빼고 다시 투자를 해야 한다. 매도할 때까지 수입원은 사라지게 되는 것이다. 난 이런 상황에서 묘지 경매를 시작했고 순전히 투자에 의해 가정을 이끌어갈 수밖에 없었다. 그래서 하루빨리 물건을 매도해야 했고 그랬기에 더 집요하게 매달렸다.

투자를 하다 보면 예기치 못하는 변수가 생기기 마련이다. 묘지 경매를 하면서 공유자와 연락이 안 된다든지 우리를 조급하게 하는 일들은 어디에나 있다. 투자에서 조급함이 가장 취약이다. 그런데 내가 노동을 해서 월급을 받는다면 좀 더 여유롭게 기다릴 수 있는 마음과 버틸 힘이 생기는 것이다. 그래서 직장인이 전업에 대해 생각하면 극구 말리며 최소 6개월 이상은 해보고 결정해도 늦지 않다고 말한다. 왜냐하면 내가 회사생활을 하며 묘지 경매를 같이 했다면 지금보다 더욱 빨리 성장했을 것이라고 생각하기 때문이다. 경험에서 나온 조언이기에 새겨들었으면 좋겠다.

사람들은 내가 교육을 하면서 여전히 묘지 경매를 하는지 궁금해한다. 돈되는 정보인데 이것을 왜 알려주는지, 노하우를 알려주면 안 되는 것 아닌지 나를 걱정하는 마음에서 하는 질문일 것이다. 결론부터 말하면 여전히 한다! 처리하는 물건 수는 더 많이 늘었으나 예전만큼 열심히 하진 않는다. 첫해에는 1주일에 4~5일을 묘지만 찾아다닐 만큼 열정이 있었다. 지금도 꾸준히 하지만 그때만큼 임장을 자주 가지는 않는다. 현장을 가보지 않아도 대략 파악할 수 있는 요령이 생겨서일까? 사실 지금은 예전처럼 열심히 할 필요가 없어졌다. 그럼에도 여전히 묘지 경매를 하는 것은 일단 재미있다. 다른 방법으로 돈을 아무리 많이 벌어도 묘지를 매도할 때의 기분에는 미치지 못한다. 4년 전에 터득한 매도 방법이지만 이 방법이 여전히 유효하고, 안목도 틀리지 않았음을 증명해주는 것 같아서 쾌감을 느낀다. 이래서 송충이는 솔잎을 먹고 살아야 한다는 말이 나왔나 싶다. 볼품없던 내 삶이 묘지를 만나고 바뀌었으니 묘지는 나에게 참 고마운 존재다.

많은 묘지를 사고 팔았지만 매도하러 갈 때는 항상 설렌다. 1개월에 평균 4건 이상의 묘지를 매도하는데 여기서 4천만 원 이상의 수익이 발생한다. 이러한데 내가 묘지 경매를 하지 않을 이유가 있는가?

돈을 많이 벌면
뭐가 좋을까?

누구나 돈 걱정 없이 사는 삶을 꿈꾼다. 그 꿈을 이루기 위해 실낱같은 희망이라도 잡고자 매주 로또복권을 사는 사람도 있다. 돈을 많이 벌면 무엇이 좋을까? 돈이 많으면 할 수 있는 게 무척 많을 것이라고 생각하지만 그 반대다. 돈이 많으면 하지 않아도 될 일이 늘어난다. 한마디로 내가 하고 싶은 것만 할 수 있다는 말이다.

대부분의 사람들은 돈이 생기면 무엇을 사고 싶다, 무엇을 하고 싶다 등 소유에 관해 많이 이야기한다. 물론 중요하다. 이를 원하는 것은 인간의 본능이자 욕구이다. 하지만 이런 욕구는 일정 부분 소비를 하다 보면 충족된다. 나는 돈을 꽤 벌기 시작하면서 가족과 백화점을 많이 다녔다. 일주일에 2번 정도 쇼핑을 하러 갔는데, 처음에는 좋았다. 평소 다니지 못하던 백화점에 가서 돈을 쓰고 대우를 받으니 성공한 기분이 들면서 역시 돈이 좋다고 생각했다. 처음에는 그런 기분이 좋아 자주 백화점에 갔는데 이게 익숙해질수록 백화점에서 돈을 써도 감흥이 없었다. 이때 느꼈다. 결국 물질적인 것은 충족이 되면 언젠가 만족하게 된다는 것을.

반대로 돈이 많으면 어떤 것을 하지 않을 수 있을까?

첫째, 일을 하지 않아도 된다. 대다수의 사회 구성원은 어딘가에 소속되어 노동을 하며 그 대가로 재화. 즉 월급을 받는다. 나도 그랬다. 인터넷 영업을 할 때도, 도축장에서 라벨링을 할 때도 하나 같이 새벽에 일어나 회사로 출근을 했다. 노동을 하지 않으면 의식주에 필요한 금전이 부족하게 된다. 생존을 위해서는 어쩔 수 없는 선택이다. 그런데 노동을 하지 않아도 그에 상응하는 수입이 생긴다면 어떨까? 일할 필요 없이 내 시간을 내 마음대로 쓸 수 있는 것이다.

직장인은 목요일 오후부터 주말을 기다리고, 일요일 오후에는 월요병 때문에 힘들어한다. 난 경매를 업으로 하고 있어서 비교적 시간이 여유로운 삶을 살고 있다. 묘지 경매는 시간과 공간의 제약이 없다. 그래서 필명도 경매노마드라고 정했다. 나는 반대로 주말과 공휴일이 싫다. 평일과 주말의 경계가 없는데 주말에는 아이가 학교

경쟁 말고 독점하라

에 가지 않기 때문에 난 주말이 싫다.

둘째, 가족과 함께하는 시간이 많아진다. 어딘가로 훌쩍 떠나고 싶은 날 이것저것 생각하지 않고 떠날 수 있다. 묘지 경매를 우연치 않게 시작했지만 이 기회가 나에게 온 것을 감사하게 생각하는 것 중 하나가 시간과 경제적 여유가 생겨서 가족과 많은 시간을 보낼 수 있다는 것이다.

나는 병역의 의무를 다하기 전에 아내를 만나 아이를 가졌고 아이를 출산 후 군대에 다녀와야 했다. 상근예비역으로 배정을 받고 훈련소를 5주간 다녀왔을 때 아이가 돌 전이었는데 훈련소를 수료하니 아이가 걷고 있었다. 이 과정을 겪으면서 힘들었을 아내에 대한 미안함과 아이의 성장을 지켜보지 못한 섭섭함이 동시에 들었다.

지금은 아이와 거의 모든 시간을 함께한다. 내가 주거하는 세종시는 아파트가 몇 단지 모여 있는 곳에 국공립 유치원과 초, 중, 고까지 학교들이 밀집되어 있다. 그래서 유치원에서 셔틀 차량을 운행하지 않아 등, 하원을 부모가 직접 해야 한다. 일과 가운데 가장 먼저 하는 일은 아이를 등원시키는 일이다. 한마디로 아이의 전용 기사가 되는 것이다. 아이와 함께 보내는 시간이 많아 부모로서 좋고, 감사한 가족 곁을 지키며 보살펴 줄 수 있어서 좋다.

셋째, 자신감이 생긴다. 성공한 사람들을 보면 대개 자신감이 넘치고 자존감이 높다. 물론 선천적으로 타고난 이들도 있지만 돈이 그 자신감을 만들어 준다. 누구나 돈을 갈망한다. 이 돈은 성공을 하면 자연스럽게 따라온다. 돈과 성공은 흔히들 인과관계라고 하는데 맞는 말이다. 성공을 하여 돈을 번 이들은 자신감이 충만하다. 자신감이 있기에 한 번의 성공이 또 다른 성공을 불러온다.

다만 이때 주의해야 할 게 있다. 무엇이든지 성공할 수 있을 것 같은 착각이 드는 것이다. 이를 성공으로 덮어버리면 괜찮지만 자만하여 실패의 수렁에 빠지는 것을 주의해야 한다. 나는 자신감과 자만의 경계를 유지하기 위해 때때로 헝그리 정신을 느끼게 할 만한 행동을 한다. 예를 들어 돈이 없을 때에 자주 먹던 음식점을 찾아가 그때를 회상하기도 하고, 일이 마음처럼 되지 않을 때면 금강변을 따라 산책하던 기억을 떠올리며 그 길을 걸어본다든지 말이다. 이렇게 의도적으로 헝그리 정신을 느끼게 하니 자만하지 않게 되었다.

넷째, 마음에 여유가 생긴다. 어떤 사람을 보고 이 사람이 부자라고 느껴 본 적이 있는가? 그런 사람들은 대부분 여유가 있고 천천히 행동한다. 나는 가족과 일명 호캉스를 자주 다닌다. 국내의 특급호텔들은 거의 다 가봤다고 해도 무방할 만큼 자주 다닌다. 이 날은 신라호텔에서 투숙하고 발렛파킹을 기다리고 있었다. 마침 신라호텔 주주총회가 있는 날이라 기사를 대동한 이들이 많이 내리는 것이다.

경쟁 말고 독점하라

이때 모두 꼿꼿하고 행동이 느긋하다는 공통점이 있었다. 돈이 여유를 만든다. 내가 급할 게 없고 누군가 실수를 해도 넓은 아량으로 이해할 것만 같다. 내가 돈을 벌고 부자들 곁으로 가서 느낀 점은 그렇다. 단순히 좋은 물건을 쓰는 것만이 아닌 자신감과 여유가 한층 더 부자로 만들어 준다.

그럼 돈을 많이 벌면 좋기만 할까? 여러분이 부자가 되면 주위 사람들이 마냥 축하하고 응원해 줄까? 아니다. 평범하던 사람이 갑자기 돈을 많이 벌어 여유가 생기면 이를 시기하고 질투하며 견제하는 사람이 생긴다. 물론 아닌 사람들도 있지만 내가 경험한 바는 그렇다. 가족같이 지내던 사람들조차 그랬다. 경험담을 말하는 것이니 오해 없이 들어주면 좋겠다. 좋지 않은 이야기라 길게 할 생각은 없다. 다만 여러분을 견제하고 샘하는 이들은 곁에 있기 마련이니 자랑보다는 조용히 올라가는 게 낫다. 그럼 나는 자랑을 많이 해서 이런 일을 겪었냐고? 아니다. 난 주위 사람들에게 내 이야기를 일절 하지 않는 사람이다. 그러니 자랑 또한 할 리가 없다. 친구들을 만나러 갈 때에도 평범한 옷을 입고 간다. 친구 사이에 거리감을 느끼게 해 주고 싶지 않아서 말이다. 다만 자랑하지 않아도 내 삶 자체가 바뀌는 것을 주위에서 보고 스스로 그렇게 느낀 것 같다. 이런 일들을 겪으면서 이때 인간관계가 많이 정리되었다.

비웃음은
차별화의 증거다

그렇게까지 해서 돈을 벌어야 하나요? 묘지 경매를 하며 들은 말이다. 반대로 묻고 싶다. 그럼 어떻게 돈을 벌 것인가? 직업에 귀천은 없다. 물론 묘지가 누군가의 부모나 선조와 연관되어 있기에 항상 도의에 어긋나지 않게 조심해야 한다. 묘지 경매를 한다고 회의감을 가졌다면 지금까지 하지 못했을 것이고 누군가를 교육하는 일도 안 했을 것이다.

묘지 경매는 비주류의 시장이다. 법원에서 낙찰자를 호명할 때에 사람들이 수군수군하는 일이 있다. 낙찰 금액이 저렴한 것을 보고 이런 걸 왜 받아, 이게 돈이 되나 하며 누군가가 나를 비웃는다면 성공이다. 바로 비웃음은 차별화의 증거이기 때문이다.

고가의 물건이 낙찰되면 '와' 하며 그 사람을 대단하게 쳐다본다. 물론 그만한 돈이 있다는 것이니 대단한 것은 맞다. 하지만 반대로 몇백만 원의 소액 물건은 관심을 가지지 않는다. 난 이런 점이 좋다. 누구나 대단하고 좋다고 느끼는 주류 시장은 돈이 있으면 누구나 할 수 있지만, 비주류의 시장은 경험 하나하나가 중요하기 때문에 돈이 있어도 쉽게 접근하지 못한다. 그렇기에 남들이 이걸 왜 받는지 궁금해한다면 내 작전은 성공한 것이다.

한번은 한 법원에서 1개월에 3번 낙찰을 받은 적이 있다. 법원에 가면 일명 대출 이모들이 있는데 내가 거의 매주 와서 몇백만 원짜리 묘만 받아가니 의아하게 보는 것이다. 심지어 잔금 납부 후 소유권 이전 등기를 위해 경매계에 방문했을 때 경매계장님이 "혹시 회사에서 이런 물건은 왜 받으시는 거예요?"라고 물었다. 그래서 회사에서 필요해서 받았다고 하니 "이런 것도 돈이 되나요?"라고 묻는 것이다. 이 사람은 법과 늘 곁에 있으니 웬만한 사람보다 경매 전문가이다. 매일 경매 서류를 분석하니 말이다. 하지만 관점의 차이라고 생각한다. 이 사람은 이것을 일로 보는 것이고, 난 이것을 돈으로 보니 말이다. 남들이 돈이 되는 것을 몰라야 그게 진짜 돈이 되는 것이다.

2016년 처가에서 건물을 철거하고 형님들과 함께 고물을 고물상에 가져다준 일이 있었다. 그때 고물상 앞에 '포르쉐 카이엔 터보' 차량이 있었다. 차에 관심이 있는데 특히 포르쉐라는 브랜드를 좋아한다. 아무것도 모르던 철부지 고등학생 때부터 포르쉐를 타는 게 꿈이었을 만큼. 그 차량을 보자마자 이게 왜 여기에 있나 싶었다. 차량 가격이 2억이 넘는 차량인데 시골에서 이런 차를 보니 신기했다. 옆에 있는 형님한테 여쭈어보니 고물상들이 돈을 잘 번다고 했다. 이때 머리를 한 대 맞은 것 같았다. 남들이 꺼리는 일을 하면 돈을 잘 번다는 것이다.

도축장에서 일할 때도 비슷한 경험을 했다. 도축이 끝나면 부산물이 생기는데 항상 그것만 수거해가는 아저씨가 계셨다. 부산물을 왜 가져가나 싶겠지만, 남들이 꺼리거나 관심을 가지지 않는 일 가운데는 은근히 독점적인 위치를 가지고 있어 그만큼 수익이 많은 것이다.

묘지 경매도 똑같다. 사람들은 번듯한 건물을 가진 건물주를 동경한다. 겉모습이 번지르르한 것도 물론 중요하다. 가진 돈이 없는데 처음부터 번지르르한 것을 할 수 있는가? 나도 경매에 처음 입문할 때에 상가 등 월세가 나오는 수익형 부동산에 관심이 많았기에 충분히 이해한다. 하지만 난 남들이 꺼리는 비주류의 묘지를 매달 팔며 월세 받는 시스템을 만들어냈다. 남들은 비웃었지만 난 이를 차별화로 생각해 나만의 독점적인 지위를 만들어냈다.

묘지 경매 Q&A

묘지 경매가 생소하기에 책을 읽으면서도 궁금한 부분이 많을 것이다. 묘지 경매를 처음 접하게는 사람들이 가장 많이 궁금해하는 것을 모았다.

Q 미신적인 관점에서 괜찮나요?

A 미신을 믿는 사람이 있는가 하면 믿지 않는 사람도 있다. 묘지를 다니면 혹시 안 좋은 일이 생기지는 않는지 물어본다. 신경이 쓰이는 부분이기는 하지만, 아직까지 안 좋은 일을 경험한 적은 없다.

대한민국에서 묘지를 가장 많이 팔면서 수차례 임장을 가 본 사람이 없었다고 하면 큰 문제는 없다고 생각하면 된다. 임장을 가서 묘를 해하는 행위를 하지 않는다면 말이다. 그럼에도 불구하고 이 부분이 걱정된다면 소금을 챙겨 다니는 것을 추천한다.

Q 묘지는 어떻게 찾아가나요?

A 묘지(현장)를 찾아가기 위해서 네이버 지도 앱을 이용한다. 네이버 지도를 보면 파란색 핀이 보이는데, 파란색 핀이 현재 나의 위치다. 이 핀을 자세히 보면 방향을 표시하는 화살표가 있다. 이 방향이 내가 가고 있는 방향을 말한다. 먼저 네이버 지도에 찾아가고자 하는 경매 물건지의 주

경쟁 말고 독점하라

소를 검색하고 파란색 핀을 보고 따라가면 된다.

묘지를 찾아가는 길이 대부분 등산로처럼 좁다. 위성지도를 보며 먼저 등산로를 찾고 인근에 주차를 해야 한다. 대다수가 묘지는 깊은 산속에 있을까 봐 걱정하거나 무서워하는데 그렇지 않다. 묘지는 후손들이 성묘를 가야 하기 때문에 깊은 산보다는 길에서 멀지 않은 곳에 더 많다. 여름철에는 풀이나 벌레가 많으므로 장화를 꼭 가지고 가기를 추천한다.

Q 지금 시작해도 수익을 낼 수 있나요?

A 묘지 경매를 하는 사람들이 많아도 수익을 낼 수 있는지, 수강생이 많아도 수익을 낼 수 있는지 많이 묻는다. 묘지라는 시장이 생소하다 보니 시장 자체가 작다고 여겨 나오는 질문이라 생각된다. 예전에 비해 묘지라는 시장에 관심이 많아진 것은 사실이다. 그 기준점이 분묘기지권 지료 청구 판례라고 생각하는데, 이에 대해서는 뒤에서 좀 더 자세히 다루도록 하겠다.

묘지가 돈이 된다는 것은 알겠는데 묘지라서 그런지 실행까지 이어지지 못하는 사람들이 많다. 수강생에게 똑같이 하는 말이 있다. 꼭 한 번만 해보라고. 한 번 성공한 이들은 하지 말라고 해도 열심히 한다.

묘지 경매라는 시장은 참 애매한 포지션이다. 돈이 많은 이는 이쪽을 쳐다보지 않는다. 돈이 부족한 이들은 하고 싶지만 방법을 모른다. 그렇기에 아직도 기회가 남아 있다. 방법만 알면 충분히 공략 가능한 시장이다. 앞으로 경매를 통해 묘지가 나오지 않을 가능성이 얼마라고 생각하는가? 없다고 생각한다. 아니 앞으로 더 많은 묘지가 나올 것이라고 예측한다.

묘지라는 것이 조상을 모시기 위해 설치한 것이다. 앞에서 말했듯이 지방은 묘지 선호도가 높다. 2030 세대의 부모님, 즉 5060 세대는 묘지가 있는 토지를 가지고 있다. 이 세대가 건강이 악화되거나 나이가 많아 사망할 경우 이 부동산은 증여 또는 상속할 수밖에 없다. 묘지가 더 많이 경매에 나올 것이라고 생각하는 이유는 공유자 가운데 또래가 점점 눈에 띄기 시작하기 때문이다. 부모님이 연세가 많으셔서 슬슬 증여나 상속을 받기 시작한다는 것이다.

매스컴에서 2030 세대를 빚투족이라고 표현한다. 개인적인 견해지만 본인이 감당할 수 있는 만큼 돈을 써야 하는데 그렇지 못한 이들이 있다. 특히 요즘 젊은 세대들은 그런 성향이 강하기에 앞으로 묘지 물건이 더 나올 것이라고 생각하는 것

경쟁 말고 독점하라

이다.

실제로 요즘에 또래의 지분들을 많이 낙찰 받고 있다. 아파트, 빌라는 경매 시장에서 굉장히 치열하다. 아파트나 빌라로 경매에 입문한 후 경쟁에 지쳐서 포기하는 이들이 대다수다. 묘지 경매도 지금보다 경쟁이 치열해질 수는 있을 것이다. 그래도 다른 시장보다는 덜하다. 무엇보다 이보다 소액으로 할 수 있는 경매는 없다. 이렇게 장점이 많은데도 불구하고 아직도 묘지라서 꺼려지는가?

후손 잘못 만나
떠돌이 신세가 될 뻔한 왕족

이 제목을 보고 흥미를 가진 분이 꽤 있을 것이다. 왕족의 후손이라고? 이런 것도 경매로

나온단 말이야? 여러분은 양녕대군을 아는가? 그렇다. 태종 이방원의 장남이자 세종대

왕의 형이다. 내가 낙찰을 받은 물건이 바로 양녕대군 후손의 묘역이었다.

양녕대군의 묘역은 서울 상도동에 위치해 있다. 이들의 후손 종중은 왕족답게 돈이 굉장

히 많다. 상도동 인근에 건물을 소유하고 있으며 체계적으로 종중 활동을 하기 때문이다.

종중에 대한 개념이 생소한 분을 위해 간략히 설명하고 넘어가겠다. 종중이란 공동의 조

상을 지닌 자손들로 조상의 제사를 목적으로 조직된 가족 단체를 말한다. 쉽게 풀어 말하

면 성(姓)과 본(本)이 같은 집안사람이 모여 묘를 사용, 관리한다고 생각하면 된다.

내가 낙찰 받은 곳이 양녕대군의 후손인지 어떻게 알았냐고요? 현장에 가서야 알 수 있

었다. 묘비에 버젓이 한글로 양녕대군 몇 대손이라고 기재되어 있었다.

이를 확인하고 바로 연고자를 찾으려 노력했다. 왕족이어서 그럴까? 인터넷에 '양녕대군

후손'이라고 검색하니 수많은 정보가 나왔다. 상도동에 있는 양녕대군 종중이 규모가 굉

장히 커서 쉽게 해결될 수 있을 거라고 생각했다.

이런 기대는 바로 사라졌다. 양녕대군 종중에 전화를 했는데 양녕대군 종중은 파가 굉장히 많다는 것이다. 즉 후손에게 물려주면서 갈래가 많이 나뉘었다는 의미다. 그러면서 관련이 있는 사람들하고 이야기해야지 여기에다 말해도 소용이 없다는 것이다.

하는 수 없이 아는 정보를 가지고 그들에게 연락을 하기로 했다. 희망적인 것은 묘가 관리가 잘 되어 있었고, 현장을 방문했을 때에 지자체에서 양녕대군 후손의 묘라고 안내 팻말까지 세워 놓은 것이었다. 이 정도면 충분했다.

내용 증명을 보냈다. 처음 보낸 내용 증명이 송달되었지만 연락이 없었다. 내용 증명을 보내고 바로 연락이 오면 좋겠지만 여러분도 처음 보내는 내용 증명에 큰 기대를 하지 않기를 바란다.

이 사람들도 묘지가 경매로 나오는 것을 알고 있기 때문에 낙찰자에게 내용 증명을 받으면 처음에는 지켜보려고 한다. 이전에 경매로 이 같은 일을 겪은 사람들은 번외로 하고 대부분의 사람은 이런 일이 처음이라서 어떻게 일이 진행되는지, 본인이 어떻게 해야 할지 지켜본다.

가장 먼저 연락이 온 것은 공유자 중 경찰이 직업인 분이었다. 사촌들끼리 지분을 나누어 자기가 지분을 가지고 있는 것은 맞지만 사촌과 사이가 안 좋다고 했다. 그러면서 자기에게 이야기하지 말고 다른 형제들과 논의하라며 연락처를 알려주었다.

받은 연락처로 다시 연락을 했다. 받는 분이 적잖이 놀라는 눈치였는데, 아마 내용 증명을 받고 가족과 이야기하는 단계에 내가 연락을 했기 때문인 듯했다. 나와 통화한 분은 이 집안의 종손이었다. 거의 이 분과 협의를 했는데 단도직입적으로 '원하시는 바가 있지 않으냐. 솔직하게 말하라'고 하셔서 금액을 조율하기 위해 여러 번 통화를 하다가 매도 일자를 잡았다.

서로 이해관계가 맞았기에 협상이 수월했다. 이들은 경기도 평택에 터를 잡고 집성촌을 이룬 사람들이었다. 매도하기 위해 법무사에 방문했다. 나와 통화한 종손이 아닌 연배가 지긋하신 어르신 네 분이 오셔서 "대표님, 좋은 결정해 주셔서 고맙습니다."라고 하시는 것이다.

이 물건은 950만 원에 낙찰을 받았는데 매도한 가격은 2,100만 원이었다. 2,000만 원은 수표로 가져오시고 100만 원은 내가 기름값으로 쓸 줄 모른다고 5만 원권으로 가지고 오셨다. 말은 안 했지만 속으로 참 죄송한 마음이 들면서도 아이러니했다. 통상 이 정도 연배가 되는 분들은 나의 행위에 대해 이해하지 못하는 것이 대다수인데 그 와중에 나에 대한 고마움으로 배려까지 해주시다니. 낙찰부터 매도까지 1개월이 걸렸는데 나쁘지 않

경쟁 말고 독점하라

은 수익을 냈다. 매번 그랬듯이 내용 증명과 전화로 편하게 수익을 냈으니 말이다. 묘지

경매의 장점을 알 수 있는 대목이다.

잘못된 후손 하나 때문에 선조가 떠돌이 신세가 될 뻔했으나, 왕족의 후손들이 힘을 합쳐

선조의 묘역을 지켰다. 지금까지도 기억에 많이 남는 물건이다. 나는 이래저래 경매 일을

하면서 남들이 해보지 못한 경험을 많이 했다. 소액으로 투자하며 대기업 부회장, 왕족의

후손, 삼성동 수백억 자산가 등을 만나게 될 것이라고 누가 상상이라도 했겠는가? 이런

경험이 피와 살이 되어 난 이제 누구를 만나도 두렵지 않다. 그들에게 선의를 베풀 뿐.

2장

묘지 경매할 때 꼭 알아야 할 것들

물건 찾기

경매 물건은 어디서 보는가?

앞의 내용을 읽고 여러분이 묘지 경매에 관심이 생겼다면 가장 먼저 무엇을 해야 할까? 먼저 물건을 찾아야 한다. 경매 물건을 볼 수 있는 사이트에는 크게 세 가지가 있다.

첫 번째는 '대한민국법원 법원경매정보' 홈페이지다. 대한민국법원 법원경매정보 홈페이지에 들어간다.

여기서 맨 위 메뉴 가운데 '경매물건'을 클릭하면 찾고 싶은 물건을 쉽게 검색할 수 있다. 이 사이트는 장점과 단점이 있다.

장점은 무료라는 점이다. 경매에 이제 막 관심을 생겨 '어떤 물건

들이 있을까?' 보는 단계에서 비용을 지출하는 것은 싫거나 부담이 되는 이들도 있을 것이다. 이런 분들에게 무료라는 것은 큰 메리트이다.

단점은 보기 불편하다는 것이다. 검색하기가 불편하다. 이 사이트는 사용자의 편리를 위해 만든 사이트가 아닌 것은 확실하다. 경매 물건을 하나하나 들여다보는 재미가 있는데 한 건을 클릭해서 보고 다른 물건을 보기 위해 뒤로 가기를 누르면 인터넷 창은 '웹 페이지가 만료되었다'며 먹통이 된다. 다시 처음부터 검색을 하여 다른 물건을 찾아보아야 하기에 상당히 번거롭다. 등기부등본은 볼 수 없

경쟁 말고 독점하라

다. 경매 물건을 입찰하기 전에 필수적으로 부동산 등기부등본을 확인해야 한다. 인수할 권리는 없는지, 임차인에게 추가로 지불할 돈은 없는지 등 꼼꼼히 따져야 한다. 이런 과정을 경매에서는 '권리분석'이라고 표현하는데, 이 권리분석을 위해서는 등기부등본이 꼭 필요하다.

등기부등본에는 은행에서 대출할 때 부동산을 담보로 잡고 돈을 빌려주는데 은행에서는 이 부동산을 담보로 잡기 위해 '근저당'을 설정한다. 이런 부동산에 대한 모든 권리들이 등기부등본에 나와 있기에 우리는 경매 입찰 전 항상 등기부등본을 꼼꼼히 봐야 하는데 법원 경매정보 사이트는 무료로 운영되다 보니 등기부등본의 열람을 지원하지는 않는다. 개별로 '대법원 인터넷 등기소' 사이트에 접속하여 '부동산 등기 - 열람하기'를 통해 직접 열람해야 한다. 열람 비용은 1건당 700원이다. 참고하기를 바란다.

대한민국법원 법원경매정보 사이트는 무료라는 장점이 있지만 꾸준히 보기에는 불편한 점이 있다. 이제 막 경매에 관심을 가지기 시작한 분이나 비용 지출이 부담스러운 분들에게 추천한다.

두 번째는 유료경매 사이트이다. 유료경매 사이트는 사설로 운영되는데 다양하다. 굿옥션, 탱크옥션, 스피드옥션, 지지옥션 등 몇십 개의 사이트가 있다. 이 가운데 어떤 사이트를 선택해야 할까? 사실 큰 차이는 없다. 사설로 운영하는 경매 사이트는 법원경매 정보 사이트의 데이터를 그대로 옮겨와 보기 편하게 만들었기 때문에 기능상의 차이는 크지 않다. 대개 유료경매 사이트에 들어가 보면 24시간 무료 체험 기능이 있으므로 활용해 보고 나에게 맞는 사이트를 선택하면 된다.

유료경매 사이트를 추천하는 이유는 법원경매 정보 사이트보다 보기 편하기 때문이다. 물건이 보기 편하다는 장점도 있지만 초보자가 권리분석을 할 때 유용하다. 경매 초보자는 대개 권리분석을 어려워한다. 등기부등본을 잘 분석한 게 맞는지, 실수한 것은 없는지 누군가에게 확인을 받고 싶어한다. 이런 부분을 유료 사이트에서 보

경쟁 말고 독점하라

기 쉽게 잘 정리해 놓아 초보자들이 권리분석을 할 때 좋다.

또한 법원 사이트는 무료로 운영하기 때문에 부동산 등기부등본을 별도로 열람해야 하는데 유료 사이트에는 등기부등본이 포함되어 있다. 물건을 보다가 다시 등기부등본을 보러 인터넷 등기소에 접속할 필요가 없다. 그렇기에 비용이 들더라도 유료 사이트를 이용하는 것을 추천한다.

경매에 입문하는 사람들 중에 유료경매 사이트를 공동구매로 이용하는데 이는 추천하지 않는다. 유료경매 사이트를 공동구매로 이용하다 보면 여러 사람이 이용하기에 마음에 드는 물건들을 관심 물건에 추가하는 것이 제한된다. 내가 마음에 드는 물건들을 타인이 다 보기 때문이다. 여러분의 보물창고를 굳이 다른 사람에게 공개할 필요가 있는가? 경매 사이트 구매가 부담이 된다면 1개월 단위로 이용하는 편이 낫다.

세 번째는 온비드 사이트이다. 앞에서는 소개한 법원 경매정보 사이트와 유료 경매 사이트는 경매 물건을 보는 사이트인데, 온비드는 공매 물건을 보고 입찰하는 사이트다.

온비드 사이트를 설명하기에 앞서 경매와 공매의 차이점에 대해 알아보자. 경매는 우리가 흔히 아는 은행권, 개인 거래 등 채무자의 빚을 현금 대신 부동산을 통해 경매로 처분하는 것으로, 경매의 주체는 법원이다. 이에 반해 공매는 세금을 체납했을 때에 체납자의 세금을 현금 대신 부동산으로 처분하는 것으로, 한국자산관리공사가 주체가 되어 공매를 진행한다. 이 한국자산관리공사에서 공매를 진행하기 위해 만든 사이트가 온비드다.

경매의 주체는 법원, 공매의 주체는 한국자산관리공사라고 했는데 경매와 공매의 가장 큰 차이점은 바로 오프라인과 온라인이다. 경매는 오프라인으로 진행이 되므로 입찰을 하기 위해서는 물건지를 담당하는 관할 법원에 입찰일에 입찰을 하러 가야 한다. 반면에 공매는 온비드 홈페이지나 모바일 앱에서 온라인으로 입찰을 할 수 있다. (공매 입찰은 보통 월요일부터 수요일 오후 5시까지 진행이 되고, 입찰 결과는 목요일 오전 11시 이후 발표한다.) 입찰 자체가 오프라인, 온라인으로 명확히 달라 낙찰되었을 때에 잔금 납부도 경매의 경우는 법원을 방문해서 납부해야 하고, 공매는 가상계좌로 납부할 수 있다.

이렇게만 보면 경매가 공매보다 안 좋아 보이지만, 물건 수를 비교하면 경매 물건이 훨씬 많다. 그 이유는 세금을 체납한 사람보다는 빚을 변제하지 못하는 사람들이 더 많기 때문이다. 경매는 물건을 더 많이 고를 수 있어 좋고, 공매는 편리해서 좋다. 각각 장단점이 있으므로 편견을 가지지 말고 둘 다 살펴보기를 바란다.

경쟁 말고 독점하라

물건은 어떻게 검색하는가?

지금까지 어디서 물건을 찾는지 살펴보았으니 이번에는 어떻게 물건을 검색하는지 알아보겠다.

물건의 가격은 100만 원 이하부터 다양하게 설정하여 검색할 수 있으므로 본인이 희망하는 가격을 필터링해서 살펴보면 된다. 그리고 난 후 특수물건 검색에서 분묘지기권의 체크박스에 체크한다.

분묘기지권이란 타인의 토지에서 분묘를 설치한 자가 분묘의 기지 부분인 토지를 사용할 수 있는 권리로, 관습상 인정되는 지상권 유사의 물권을 말한다. 쉽게 풀어 말하면 묘를 지킬 수 있는 권리라고 보면 된다. 분묘기지권이 성립되면 토지를 낙찰 받은 낙찰자라고 하더라도 이 토지 위의 분묘를 이장하거나 훼손할 수 없다.

물건을 검색할 때 분묘기지권에 체크하라고 말하면 이렇게 검색

> **분묘기지권 성립 요건**
> ① 토지소유자의 승낙을 얻어 분묘를 설치한 경우
> ② 토지소유자의 승낙 없이 분묘를 설치한 때에는 20년간 평온 · 공연하게 분묘를 점유한 경우(분묘기지권의 시효취득)
> ③ 자기 소유의 토지 위에 분묘를 설치한 후 그 분묘기지에 대한 소유권을 유보하거나 분묘 이전의 약정 없이 토지를 처분한 경우에 분묘기지권을 인정하고 있다.
> 다만, 위의 ②의 분묘기지권의 경우 「장사 등에 관한 법률」에 따라 그 시행일인 2001.1.13. 이전에 설치된 분묘에 관하여 적용된다.

해서 나온 묘들은 다 분묘기지권이 성립되는 것인지 궁금해한다. 우리가 보는 경매 물건은 경매를 진행하기로 결정하고 이 부동산의 가치를 감정하기 위해 감정평가를 의뢰한다. 감정평가를 의뢰받는 감정평가법인에서 감정평가사를 현장으로 보낸다. 감정평가사가 현장을 둘러보고, 사진도 찍는다. 그 다음 법원 집행관이 현장을 한 차례 더 다녀온다. 감정평가사와 법원 집행관 이렇게 현장을 두 차례 다녀오는데 물건마다 다르겠지만 묘지가 있는 산의 경우 면적이 넓어 현장을 다 둘러볼 수 없는 경우가 있다.

일반적으로 넓은 산에는 묘지 한두 기가 있기 마련이다. 낙찰 받은 부동산에 묘가 있다면 이건 하자일까 아닐까? 알고 받으면 상관이 없지만 모르는 상태에서 뜬금없이 다른 사람의 묘가 나온다면 분명한 하자이다. 그렇기 때문에 법원 측에서는 책임 회피를 위해 묘가 있을 법한 물건에 분묘기지권이라는 타이틀을 걸어둔 것이다. 때문에 분묘기지권을 체크하고 검색했을 때에 나오는 물건이 모두 묘가 있는 물건이 아니고, '묘가 있을 수도 있으니 주의해라' 정도로 받아들이면 된다.

묘지 경매와
일반 경매의 차이점

묘지 경매의 진행 과정은 크게 물건 검색 → 현장 임장 → 입찰 → 협상 → 매도의 5단계로 나눌 수 있다.

묘지 경매가 일반 경매와 다른 점은 첫째, 임장의 간편함이다.

묘지를 찾아가야 하니까 지방이나 외딴 시골 등을 갈 수도 있어서 임장이 불편하다고들 생각한다. 그러면 묘지가 아닌 일반 경매 입문자가 임장을 가는 빌라나 아파트를 예로 들어보자. 도심에 있어서 찾아가기에는 편할 수 있다. 빌라의 경우 물이 새지는 않는지 옥상에 올라가기도 하고 아파트의 경우 미납된 관리비가 없는지 관리사무소도 가야 한다. 현장을 보고 시세를 파악하기 위해 인근 부동산 중개업소도 들러야 한다. 이때 한 군데만 가지 말고 최소 서너 곳에 들르라고 교육을 한다. 나도 상가 등을 입찰할 때에 인근 부동산 중개업소에 방문하여 시세를 파악하면서 여러 이야기를 나누는데, 이에 소모되는 에너지가 적지 않다.

하지만 묘지는 그럴 필요가 없다. 먼저 지방이나 시골에는 부동산 중개업소가 많지 않다. 물건지에서 좀 떨어진 곳에 있는 부동산 중개업소를 찾아 연락을 해야 한다. 나도 처음에는 가까운 곳에 문의를 해보았으나 여기에서도 정확히 모르는 경우가 많았다. 또, 정확하지 않은 경우가 대다수라 굳이 이렇게 시세 조사를 할 필요가 없다고 느껴 이후에는 부동산 중개업소에 알아보지 않는다. 온라인으로 시세 조사를 하면 되므로 상당히 편하다. 현장만 잘 둘러보고 오면 되기 때문이다.

둘째, 명도가 필요 없다.

경매 공부를 하기 위해 처음에 빌라, 아파트, 상가 등 다양한 강의를 들었다. 돈은 없었지만 배워두면 쓸모가 있을 것이라 생각했다. 이런 강의들을 듣고 머릿속으로 시뮬레이션을 할 때에 항상 마음에 걸렸던 게 명도였다. 명도가 두려웠다. 특히 젊은 여자들이 명도를 두려워하는 경우가 많은데, 묘지 경매는 명도가 필요 없기 때문에 경매를 하는 입장에서 마음이 편하다.

명도 대신에 협상을 하지만 협상은 비대면으로 진행할 수 있으므로 초보자 입장에서는 상당한 장점이다.

셋째, 레버리지다. 경매나 부동산 관련 책을 보면 열에 아홉은 레버리지를 잘 활용하라는 말을 한다. 묘지도 그럴까? 아니다. 결론적으로 말하면 묘지는 대출이 어렵다. 거의 안 된다고 생각하는 게 편하다. 그 이유는 이 책에서 다루는 지분 경매를 경매에서는 특수물건으로 보는데, 거기에 묘지까지 있으니 하자 투성이이기 때문이다. 여기서 다루는 금액과 내용은 대출 없이 순수하게 들어가는 투자금이며, 이렇게 소액으로 좋은 성과를 내는 경매 물건은 흔치 않다고 생각한다.

현 시점은 금리가 오르고 있는 상황이므로 무리하게 레버리지를 이용한 투자는 지양해야 한다. 처음부터 무리하게 대출을 쓰며 투자를 하기에는 리스크가 너무 크기 때문이다.

일반 경매와 달리 묘지 경매의 장점에 대해 말했다. 하지만 장점만 있는 투자 물건은 없다. 이번에는 단점을 알아보자.

묘지가 있는 땅을 묘지 연고자에게 되팔기 위해 낙찰을 받았다. 일반적으로 묘지가 있는 땅은 하자가 있는 땅인가 아닌가? 그렇다. 묘지가 있는 땅은 하자가 있는 땅이다. 이런 하자가 있는 땅을 연고자에게 다시 팔 목적으로 낙찰을 받은 것이다. 하지만 연고자가 이 땅을 사지 않으면 어떻게 될까? 이 땅은 목적성을 잃는다. 묘지 연고 자에게나 묘가 있는 땅이 쓸모가 있지 제3자에게는 활용도가 전혀 없는 땅인 것이다.

낙찰 후에 협상이 순탄하게 이루어져 매도까지 쉽게 되면 좋지만 사람 일이라는 게 언제 어떤 변수가 나올지 모르고 매번 순탄할 수는 없다. 협상이 잘 되지 않으면 소송을 진행해야 한다. 경매 입문자는 소송이라고 하면 두려움부터 가지는데 소송으로 간다고 해서 해결이 안 되고 끝나는 것이 아니므로 내 돈을 지키기 위해서라면 이 과정을 두려워하지 않아야 한다. 일반적으로 소송을 한다고 하면 경매

경쟁 말고 독점하라

를 하기 전에 변호사를 찾아가 자문을 구했을 것이다. 하지만 전업 투자자가 되기 위해서는 셀프 소송을 진행하는 방법을 익히는 것이 좋다.

먼저 소송은 '대한민국 법원 전자소송' 사이트에서 진행한다. 이 사이트에서 진행하지 못하는 소송은 없다. 셀프 소송이라는 것이 처음에는 막연하고 어렵지만 한번 해보면 살아가는 데에 많은 도움이 되고 유용하게 활용할 수 있다.

몇 년 전 아이가 원하는 장난감이 있었다. 하지만 그 장난감은 단종이 되어 시장에서 구할 수 없어 중고 거래 마켓에서 프리미엄을 주고 구매했다. 분양권은 프리미엄을 주고 거래해 봤지만 장난감을 프리미엄 주고 구매할 줄이야? 하지만 아이를 기르는 부모님들은 공감할 것이다. 아이가 가지고 싶은 것은 하늘의 별이라도 따다 주고 싶은 게 부모 마음이다. 25만 원이라는 거금을 들여 장난감을 구매했다. 하지만 판매자는 물품은 구비하지 않고 부모들에게 돈만 챙긴 사기꾼이었다. 돈도 돈이지만 아이와 약속을 지키지 못한 것이 미안했다. 온라인에서 사기를 당하면 일반적으로 경찰서나 사이버수사대에 신고를 한다. 하지만 나는 셀프 소송에 도가 튼 상태였다. 바로 전자소송 사이트에 들어가서 판매자와 주고받은 문자와 입금 내역 등을 첨부하고 '지급명령' 소송을 접수했다. 지급명령은 말 그대로 판결이 나면 '~를 지급하라'는 의미다. 지급명령 소장이 판매자에게 전달되었고 연락이 왔다. 판매자가 죄송하다며 돈을 돌려준다고 했을 뿐 아니라, 소송을 취하해 달라고 하면서 장난감까지 구해 보내주었다. 의도치 않게 장난감까지 공짜로 구했다.

경매를 통해 셀프 소송을 접하지 않았다면 경찰서에 신고하여 처리하려 했겠지만, 나에게는 셀프 소송이라는 무기가 있으니 일상생활에서도 유용하게 적용할 수 있었다. 여러분도 소송을 두려워하지 말기를 바란다. 우리는 소송을 해보지 않은 것뿐이지 못하는 게 아니다.

묘지 경매를 할 때
알아야 할 용어

공유자 우선 매수

부동산을 여러 명이 공동으로 투자하거나 형제 또는 자매와 공동으로 상속받아 소유하는 경우가 있다. 이같이 부동산을 여러 사람이 지분 형태로 공동 소유하는 것을 '공유'라고 한다. 이러한 공유 지분의 일부가 경매나 공매에 넘어가는 경우도 종종 있다. 일부 지분에 대한 경매나 공매가 진행되어 다른 사람에게 낙찰되면 기존 공유자는 억울한 상황이 된다. 이때 다른 공유자가 그 지분을 먼저 매수할 기회를 갖는다. 이를 '공유자 우선 매수권'이라고 한다. 공유자 우선 매수권을 활용하면 지분이 다른 사람에게 낙찰되더라도 공유자는 낙찰된 가격에 우선적으로 가져갈 수 있는 권리를 얻는 것이다. 반대로 말하면 낙찰자 입장에서는 낙찰 받은 물건을 빼앗기게 되는 것이다.

경매와 공매의 우선 매수가 차이가 있다. 경매는 오프라인으로 법정에서 진행하므로 공유자들도 입찰 당일 법정에 가야 한다. 하지만 공매는 온라인으로 입찰을 한다는 이점이 있다. 이 때문에 공유자에게도 우선 매수 기간을 넉넉하게 준다. 공매는 보통 월요일부터 수요일까지 입찰을 하고 목요일 오전 11시에 결과를 발표한다. 이때부터 그 다음 주 월요일 오전 10시까지 공유자에게 우선 매수할 시간을 준다.

매각 허가 결정

낙찰을 받았다고 해서 정말 낙찰을 받은 것은 아니다. 경매와 공매는 낙찰 이후 매각 허가 결정을 하는데, 경매는 7일 이후이고 공매는 다음 주 월요일 10시다. 이때 매각 결정을 받아야지 진정한 낙찰자가 된다.

경매와 공매의 차이점이라고 하면 경매는 매각 허가 결정 이후 또 7일간 이해 관계가 있는 사람들에게 이의 제기를 할 수 있는 시간을 주므로 낙찰 후 14일 동안 기다리는 기간이 필요하다.

선하지

선하지라는 단어 자체를 처음 접한 사람들이 많을 것이다. 묘지가 있는 땅을 찾다 보면 간간이 이 단어를 볼 수 있는데, 선하지란 토지에 송전탑이 설치되어 있거나 전선로가 지나는 토지를 말한다. 선하지는 등기부 등본(을구)에 표시되어 있는데 한국전력공사에서 지상권을 설정해 둔 것을 확인할 수 있다. 고압 전류가 흐르는 전선이 있는 토지이기에 한국전력공사에서 일정 부분의 지료금을 지불하고 사용 권리를 등기부 등본에 설정해 놓은 것이다. 선하지를 낙찰 받았다면 이 점을 주의해야 한다. 예를 들어 등기부 등본에 지료금이 '3,357,760원'이라고 적혀 있는 땅을 낙찰 받으면 낙찰자는 이 지료금을 받을 수 있다고 생각한다. 하지만 지료는 일시납으로 납부를 하기에 일회성이다. 선하지는 송전탑이 설치될 때 일시에 지료를 지급하는 것이므로 낙찰을 받는다고 해서 지료를 받을 수 있는 것은 아니다.

이런 물건들은 지상권이 인수된다고 하는데 그러면 받으면 안 되

【 을 구 】	(소유권 이외의 권리에 관한 사항)			
순위번호	등 기 목 적	접 수	등 기 원 인	권리자 및 기타사항
1	구분지상권설정	2019년3월13일 제11265호	2018년8월29일 토지사용	목 적 전원개발사업(345킬로볼트 신포항-북대구 기설송전선로 권원확보사업, 7차) 범 위 송전선이 통과하는 2490㎡ 토지의 상공 14미터에서 80미터까지의 공중공간 존속기간 사용의 개시일(2018.8.29.)부터 시설물 존속시까지 지 료 금3,357,760원 지상권자 한국전력공사 114671-0001456 전라남도 나주시 전력로 55(빛가람동) 도면 제2019-266호

는 물건일까? 그건 또 아니다. 전선로가 지날 뿐 토지 활용에는 아무 문제가 없다. 한국전력공사에서는 송전탑 활용을 위해 지료금을 지급하고 사용권을 취득했다. 낙찰자는 토지를 낙찰 받았고, 한국전력공사에서는 송전탑을 쓸 수 있는 권리가 있는 상황이다. 이를 그대로 두면 되는 것이므로 물건의 낙찰과는 무방하다.

을(1)	2019-03-13	구분지상권설정	한국전력공사	범위:송전선이 통과하는 2490㎡ 토지의 상공 14미터에서 80미터까지의 공중공간, 존속기간:사용의 개시일(2018.8.29.)부터 시설물 존속시까지, 지료:3,357,760원	인수

공유와 합유

공유는 앞에서 살펴보아 알겠는데 합유는 무엇일까? 공유와 합유는 일단 서류상으로는 공동 소유를 말한다. 토지의 등기부 등본을 보면 차이점을 알 수 있는데 공유는 '공유자'라고 표시되는 반면에 합유는 '합유자'라고 표시되어 있다.

먼저 합유의 개념을 보자. 합유란 법률의 규정 또는 계약에 의하여 수인이 조합체로서 물건을 소유하는 때에 그 소유 형태를 합유라고 한다. 개념적인 의미만 보았을 때는 공유와 다를 바가 없

권리자 및 기타사항

합유자
목적지분 1922분의 1653

경쟁 말고 독점하라

어 보이지만 공유와 합유의 가장 큰 차이는 처분에 있다.

공유는 공유물 분할이라는 처분 방법이 있다. 합유는 보존행위는 각 합유자가 단독으로 할 수 있지만, 합유물을 처분 또는 변경할 때에는 합유자 전원의 동의가 있어야 한다. 합유물에 대한 지분을 처분하는 데도 합유자 전원의 동의를 요하며 합유자는 결합 관계가 종료할 때까지 합유물의 분할을 청구하지 못한다.

제271조(물건의 합유)
① 법률의 규정 또는 계약에 의하여 수인이 조합체로서 물건을 소유하는 때에는 합유로 한다. 합유자의 권리는 합유물 전부에 미친다.
② 합유에 관하여는 전항의 규정 또는 계약에 의하는 외에 다음 3조의 규정에 의한다.

제272조(합유물의 처분, 변경과 보존)
합유물을 처분 또는 변경함에는 합유자 전원의 동의가 있어야 한다. 그러나 보존행위는 각자가 할 수 있다.

제273조(합유지분의 처분과 합유물의 분할금지)
① 합유자는 전원의 동의없이 합유물에 대한 지분을 처분하지 못한다.
② 합유자는 합유물의 분할을 청구하지 못한다.

공유는 처분이 자유롭지만 합유는 합유자 전원의 동의가 있어야 하기 때문에 처분의 자유가 없다. 묘지를 공유로 소유하는 가족도

있지만, 합유로 소유하는 경우도 있으므로 잘 체크해야 한다.

농지취득 자격증명

묘지 경매를 하다 보면 떼려야 뗄 수 없는 것 중 하나가 바로 농지취득 자격증명(줄여서 농취증이라 부른다.)이다. 농지에도 묘가 있다. 농지는 논과 밭 그리고 과수원을 말하는데 경매에서 논은 '답'으로 물건이 나오며 밭은 '전'으로 나온다. 국가에서는 농지를 농사 목적으로 활용하라고 정해 두었다. 그래서 농업 법인이 아닌 일반 법인은 농지를 취득하지 못하고, 개인이 농지를 낙찰 받아도 어떠한 용도로 낙찰 받았는지 '농지취득 자격증명서'를 제출해야 한다.

경매에서는 낙찰 후 7일 이내에 농취증을 해당 경매계에 제출해야 한다. 즉 전, 답, 과수원이 낙찰되면 농취증을 제출해야 한다. 이를 제출하지 못하면 입찰 시 납부했던 보증금 10%를 법원에 몰수당하게 되므로 반드시 기간 내에 농취증을 발급받아 제출해야 한다.

농취증을 제출하는 기간은 경매와 공매가 다르다. 경매는 7일 안에 제출해야 잔금 납부 기회를 얻을 수 있고, 공매는 잔금을 먼저 납부하고 소유권 이전 등기 신청을 하는데 최대 2개월이라는 기간을 준다. 그 기간 내에만 농취증을 제출하면 된다.

농취증을 발급 받는 방법은 두 가지가 있다. 오프라인의 경우 관할 읍면동사무소에 가는 방법이 있고 온라인의 경우 정부24 홈페이지에서 신청하는 방법이 있다. 예전에는 농취증을 발급받는 데 2~4일 정도로 빨랐는데, 2022년 5월 18일부터 농지취득자격심사가 대폭 강화되어 발급 받는 게 까다로워졌다.

개정 농지법 이후 농취증 발급이 가능한가?

2022년 5월 18일부터 농지법 개정법률이 시행되었다. 농지법 개정의 배경은 현행 농지자격취득 심사제도 운영상 나타난 미비점을 보완하고, 투기 우려지역, 농지 쪼개기 등에 대한 심사를 강화함으로써 투기를 목적으로 하는 농지취득을 억제하고, 농지거래가 실수요자 중심으로 활성화하기 위함이다. 개정안이 나오게 된 가장 큰 이유는 LH 사태(한국토지주택공사 직원 부동산 투기사건)일 것이다. 공기업에서 정보의 이점을 이용하여 농사 목적으로만 활용해야 할 농지를 투기 목적으로 활용하여 큰 이득을 취했기 때문에 큰 화제가 되었다.

경쟁 말고 독점하라

개정안을 살펴보자. 이전에는 농취증을 신청할 때 세대 합산 면적 1,000제곱미터를 기준점으로 농업경영계획서를 작성하고, 세대 합산 면적이 1,000제곱미터를 넘지 않을 경우에는 주말농장 용도로 신청을 하면 농취증을 발급 받았다. 하지만 현행 농지법에는 주말체험 영농의 경우에도 주말체험 영농계획서라는 서류가 신설되어 이를 추가로 제출해야 한다. 주말농장으로 신청하더라도 이전과 달리 신청자의 직업을 본다. 직장인이라면 재직증명서, 학생은 재학증명서, 사업자는 사업자등록증을 요구하기도 한다. 주말농장의 경우는 주말체험 영농계획서, 재직증명서를 제출하는 것 외에는 큰 문제가 없어 보인다.

이번에는 세대 합산 면적이 1,000제곱미터를 넘어 농업경영계획서를 제출하는 경우를 살펴보자. 기존의 농업경영계획서에는 어떤 농작물을 재배할 것인지, 언제 영농에 착수할 것인지 등을 적어야 했다. 하지만 변경된 농업경영계획서에는 작업일지처럼 언제 작업할 것인지, 몇 명의 인부를 쓸 것인지, 비용은 얼마를 투자할 것인지도 기재하라고 한다. 또, 주말농장 계획서와 농업경영 계획서에 자금 조달을 어떻게 했는지도 써야 한다. 이는 단순 수치만 확인하기 위해서라고 생각되며 주거용처럼 자금 조달을 어디서 어떻게 했는지 확인하지는 않을 듯하다.

기존의 농취증 처리기간이 2~4일이었다면 지금은 7~14일로 변경되었다. 여기까지만 보면 크게 어렵지 않다고 할 수 있다. 가장 크게 달라지는 점은 지방자치단체마다 농지심의위원회를 신설한다는 것이다. 이는 2022년 8월 18일부터 적용된다.

농지심의위원회가 심의하는 대상은 다음과 같다.

> ① 토지거래허가구역에 있는 농지를 취득하는 경우
> ② 농업법인이 농지를 취득하는 경우
> ③ 1필지의 농지를 3인 이상의 공유지분으로 취득하는 경우
> ④ 농지소재지 시·군·자치구 또는 연접한 시·군·자치구 내에 거주하지 않으면서 그 관할 시·군·자치구에 소재한 농지를 처음으로 취득하는 경우
> ⑤ 외국인·외국국적 동포가 농지를 취득하는 경우

여기서 주의 깊게 살펴보아야 할 부분은 3번과 4번 조항이다. 공유지분의 토지를 낙찰 받는 일이 많고, 해당 관할 지역의 농지를 처음으로 취득하는 경우가 많을 것이기 때문이다. 취득하는 물건지 인접 시, 군, 구에 거주하는 이가 아니라면 농취증을 신청하였을때 농지심의위원회를 거친다고 한다. 필요에 의해 거주지 인근의 농지를 경매로 취득하는 경우가 얼마나 될까? 대다수 사람들은 수익을 목적으로 많이 접근할 텐데 말이다. 수도권에서 전라도의 농지를 취득하기 위해 농취증을 신청하면 어떻게 될까? 농지심의위원회가 무서운

이유는 농취증을 처리하는 기간이 14일로 늘어난다는 것이다. 낙찰된 후 7일 이내에 농취증을 제출해야 매각 허가 결정을 받을 수 있는데 농취증 처리 기간이 14일이면 이 기간 내에 매각 허가 결정을 받는 것은 사실상 불가능하다.

이 책을 쓰고 있는 시점은 8월 18일을 막 넘겨 담당자들이 우왕좌왕 하는 게 느껴지지만 이 체계가 계속 유지된다면 앞으로 농취증을 발급 받는 것은 더 까다로울 것이다. 실무에서 이 부분이 어떻게 적용될지 잘 지켜보는 것이 좋겠다. 누군가는 위기라고 느끼지만 누군가의 위기가 누군가에게는 기회가 될 수 있기 때문이다.

매수자의 농취증이
발급되지 않은 경우 1

공매 물건을 낙찰 받고 농취증을 발급하기 위해 해당 면사무소를 방문했다. 묘가 있어서 농취증 발급이 쉽지 않을 것이라고 생각했는데 제출 후 다음날 연락이 왔다. 발급되었으니 수령해 가라고. 생각보다 너무 쉽게 농취증이 발급되어 의아하면서도 기분이 좋았다. 열심히 협상을 진행하고 약 1개월 후 법무사에서 연고자와 계약서를 작성했다. 일반적으로 부동산을 거래할 때는 부동산 중개업체나 공인중개사에 가서 거래를 한다. 묘지를 매도할 때는 매수자와 매도자가 정해져 있어 중개가 필요 없다. 그러나 묘지나 지분을 매도할 때에는 주로 법무사에 가는데, 그 이유는 땅을 사는 매수자가 보통 셀

경쟁 말고 독점하라

프 등기를 못 해서 법무사에 이 과정을 위임하기 때문이다.

계약을 마친 후 잔금까지 모두 받고 나서 집에 도착했는데 매수자(묘지 연고자)에게 전화가 왔다. 이 분 또한 농지를 취득하는 것이기 때문에 농취증을 발급하려고 면사무소를 방문했는데 담당자가 위성사진을 보더니 묘가 있기 때문에 발급이 안 된다고 해버린 것이다. 1개월 전에는 되었지만 지금은 안 된다니? 매수자는 농취증이 없으면 소유권 이전 등기를 할 수 없다. 즉 돈은 돈대로 내고 소유권을 이전하지 못하게 되니 얼마나 난처하겠는가? 사실 이 문제는 내가 신경 쓰지 않아도 될 부분이기는 하다. '매매 계약상 특약사항으로 농취증 발급이 안 될 경우 이 계약은 무효로 한다.'라는 특약 사항이 없었기 때문이다. 그래도 농취증 발급을 도와드렸다.

땅을 매수한 사람은 공유자는 아니었다. 채무자의 친척이었는데 본인이 해결해야겠다는 필요성을 느껴 나에게 먼저 연락을 해서 덕분에 빠르게 수익을 볼 수 있었다. 담당자를 설득해야 했는데 이때가 마침 감사 주기라 담당자가 민감하게 반응했다. 보통 2년에 한 번 감사를 받는데 껄끄러운 것들은 처리하기를 꺼리는 것이다. 담당자를 설득하는 데 꽤 애를 먹었다. 앞에서도 언급했지만 농지이 목적은 농사라고 했다. 결국 매수자는 남는 땅에 과일나무 몇 그루를 심는 조건으로 농취증을 발급받았다. 며칠 뒤 포크레인을 불러 땅을 다지고 유실수를 심는 작업까지 마쳤다고 내게 연락을 주었다. 효심이 대단하지 않은가? 이 일을 하며 느낀 것은 효심이 있는 사람들은 조상들이 도와주는 것인지 몰라도 다 잘되었다는 것이다. 이 사람은 공장을 운영하며 여유가 있었는데 아마 이 집에서 가장 여유가 있는 사람이라 나선 게 아닐까 싶다. 아직까지 기억에 많이 남는다. 효심 하나로 이렇게까지 이를 처리한 것이니 말이다.

매수자의 농취증이
발급되지 않은 경우 2

경매의 경우 7일 안에 농취증을 제출하지 못하면 매각 불허가 결정을 받게 된다. 즉 입찰 시 납부한 보증금은 돌려받지 못하고 법원에 몰수당하게 된다. 나도 사람인지라 실수를 한 것이다. 농취증을 제출해야 하는 물건이 있었음에도 진행하는 물건이 많아 전혀 생각하지 못한 것이다. 농취증이 필요하다고 인지한 것은 낙찰 후 5일이 지난 시점이었다. 주어진 시간은 단 이틀밖에 없었다. 황당하고 조급한 마음에 먼저 관할 지자체에 전화를 걸었다. 담당자는 휴가였다. 그것도 농취증을 제출해야 하는 그날까지 말이다.

그냥 손을 놓고 있기보다는 그래도 한번 가보자 해서 관할 지자체로 달려갔다. 다른 동료를 설득하여 당일에 발급받을 요량이었다. 하지만 다른 담당자는 서류만 접수해 주고 묘가 있기 때문에 자기가 처리할 수 없다, 담당자가 와야 처리할 수 있는 상황이다, 담당자가 온다고 하더라도 당일에 처리하기는 힘들 것이라고 했다.

매각허가 결정기일까지 농취증 발급이 어려워질 것 같아 하는 수 없이 법원에 매각결정기일 연기신청서를 제출했다. (앞으로 농지위원회 심의 때문에 농취증 처리기간이 길어져 매각결정기일을 연기할 일이 많아질 것 같다.) 현재 상황을 기재해서 제출했는데 담당자가 휴가였다. 엎친 데 덮친 격이었다. 내일까지 기다려야 하나 어쩌나 하고 있는데 경매계에서 전화가 왔다. 서류를 내고 갔다는 전화를 받았다면서 원칙적으로 안 되는데 사정을 봐서 연락을 했다는 것이었다. 그러면서 농취증을 낙찰 후 바로 발급해야지 왜 이제 발급을 받느냐 등 한소리를 했다. 아쉬운 사람은 나이기에 이럴 때는 경매가 처음이라 잘 몰랐다며 초보인 척 이야기를 들어주었다. 경험해 보니 내가 지식을 많이 알아야 도움이 될 때도 있지만 가끔은 지식이 없는 것처럼 행동해야 도움을 받을 수 있는 순간도 있다. 담당자는 문서로 신청을 해야 한다며 기관의 확인서를 요구했다. 이에 추후 농취증 담당자에게 휴가로 인해 발급이 어려웠다는 확인서를 요구하니 별도의 문서는 없고 법원에서 전화를 주면 확인해 주겠다고 했다. 서로 이해관계가

경쟁 말고 독점하라

맞지 않아서 결국 나는 매각 불허가 결정을 받았다.

　매각 불허가 결정을 받으면 그냥 끝인 줄 아는 사람들이 있다. 경매계에서 매각 불허가 결정을 받으면 어떻게 될까? 그 다음에 농취증을 내면 어떻게 되냐고 물어보라. 그러면 열에 아홉은 같은 답을 할 것이다. 매각 불허가를 받으면 끝이라고. 법원에서는 정답을 알려주지 않는다. 그럼 매각 불허가를 받았다고 해서 손을 놓고 있었을까? 아니다. 매각 허가 결정 이후 이 결정에 대해 이의가 있으면 7일이내에 즉시항고라는 것을 할 수 있다. 매각 허가 결정에 불만이 있으니까 이에 대해 항고를 제기하여 다시 결정해 달라고 하는 것이다.

　자, 매각 불허가를 받은 이유부터 짚고 넘어가자. 농지를 취득하기 위해서는 농지취득 자격증명원을 통해 농지를 취득하기 위한 자격을 증명한다. 이를 증명하지 못했기 때문에 매각 불허가 결정을 받은 것이다. 즉 자격을 입증하지 못한 하자가 있었기 때문인데 현재 이 하자를 고치면 어떻게 될까? 그렇다. 농취증을 정상적으로 발급 받고 그 당시에 있었던 하자를 고침으로써 취득자격을 갖추게 되는 것이다. 그래서 이러한 상황을 입증하며 매각 허가 결정을 변경해 달라고 항고를 하는 것이다.

　즉시항고에 대해 알아야 될 사항은 매각 허가 결정에 대해 항고를 제기할 때에 낙찰금액의 10%를 보증금으로 공탁해야 한다. 의도적으로 항고를 제기해서 낙찰 후 절차를 방해하는 이들이 있기 때문에 정말 항고할 사람들만 하라는 의미다. 왜냐하면 항고 후 이것이 기각되면 납부한 공탁금 10%는 돌려받을 수 없기 때문이다. 그래서 매각 허가 결정에 대한 항고는 빈도가 많이 줄었다.

반대로 나는 매각 불허가 결정에 대한 항고를 제기한 것이다. 가장 큰 차이는 매각 허가 결정에 대한 항고는 10%의 보증금을 공탁하지만, 매각 불허가 결정에 대한 즉시항고는 보증금 제공 의무가 없다. 그렇기에 여러분도 추후 이런 일이 있을 때에 꼭 참고하기를 바란다. 나는 즉시항고를 접수하여 매각 불허가 결정을 매각 허가로 변경시켜 물건을 무사히 데려올 수 있었다.

세상에는 많은 정보들이 있다. 좋은 정보도 그만큼 많은데, 세상에 잘 알려지지 않은 정보는 실무에서 직접 경험을 통해 얻는 경우가 많다. 여러분도 경매를 하며 크고 작은 변수들을 만나게 될 텐데 이를 헤쳐 나가면 이것은 나의 큰 자산이 된다.

묘의 종류

앞으로 다루게 될 묘지의 종류에 대해 알아보자.

먼저 봉분이다. 흔히 묘지라고 했을 때에 가장 먼저 떠올리는 이미지일 것이다. 봉분이 위로 솟아 있는 형태이며 이를 봉분묘라고 한다. 묘지 경매에서 가장 많이 볼 수 있다.

다음은 평장이다. 예전부터 봉분묘가 많이 사용되었지만, 벌초 등 관리의 어려움이 있어 최근에는 평장으로 많이 바꾸는 추세다. 이와 비슷한 형태로 묘비석 형태의 묘가 있다.

예전에는 '묘' 하면 봉분이었다. 묘를 잘 관리하는 게 선조에 대한 예라고 생각했는데 요즘은 생각이 많이 바뀌었다. 거리가 멀어 관리

봉분   평장

가 힘들거나 본인 세대는 묘를 잘 관리했지만 후대들은 관리를 못할 것 같아 평장으로 변경하는 이들도 꽤 있다. 평장묘는 대부분 봉분묘보다 최근에 설치했다고 보면 된다.

근래에 화장을 많이 한다고 하지만 아직도 묘를 쓰는 사람들이 많다. 특히 어른들은 더욱 그렇다. 묘지를 쓸 수밖에 없는 입장이라면 관리라도 편하게 하자고 해서 평장의 형태로 많이 한다. 수도권은 토지 지가 자체가 지방보다 비싸서 다양한 형태들의 매장 방법을 사용하는데 지방은 여전히 묘를 선호한다.

묘지를 하며 들은 이야기인데 충청권이 양반의 고장이라 그런지 몸에 불을 붙이는 화장은 선호하지 않는다고 한다. 그래서 아직 매장이 아닌 묘를 고집하는 분들도 많다고 하니 재미있지 않은가? 앞

경쟁 말고 독점하라

봉안

수목장

으로 경매시장에서 묘지 매물이 마르지 않는 이유이기도 하다. 그 덕인지 내가 세종에 온 이후에 충청권의 물건을 많이 경매했다.

이번에는 봉안이다. 화장한 유골을 여러 형태의 시설물 안에 안치하는 것이다. 납골과 대동소이한 의미이다. 봉안은 많이 있는 형태는 아니며 경매로 나오는 빈도가 다른 물건들에 비해 적다.

다음은 수목장이다. 최근에 수도권에서 많이 쓰는 장지 방법이다. 관리의 이점이 있는데, 그 수목장조차 가격대가 높아졌다는 기사를 본 적이 있다.

수도권에는 죽어 몸 하나 누울 자리조차 점점 고가로 변하고 있다. 여기서 잠깐 퀴즈를 풀어보자. 분묘기지권이 묘지 연고자 입장에서 묘를 지킬 수 있는 권리라고 했는데, 그러면 수목장은 분묘기지권이 성립할까? 정답은 분묘지기권이 성립되지 않는다. 그 이유는 분묘가 아니기 때문이다. 수목장 밑에도 유골의 골분이 있는 것은 동일하지만, 그럼에도 불구하고 지상에 묘가 아닌 수목(나무)이 있기 때문이다. 수목장은 분묘가 아닌 자연장의 형태로 본다. 자연장이란 유골을 화장한 다음 나무, 꽃, 잔디 밑에 묻는 것을 의미한다. 그렇다면 수목장은 경매하면 안 되는 물건일까?

시세 조사하는 법

마음에 드는 물건을 찾았다면 시세 조사는 어떻게 해야 할까? 보통 경매 물건을 임장 가면 현장 근처에 있는 부동산 중개업소를 방문해서 시세를 조사한다. 즉 발품을 파는 것인데 묘지의 경우는 그렇게까지 할 필요가 없다. 온라인만으로도 충분하다고 생각한다.

먼저 가장 많이 사용하는 것은 세 가지인데, 바로 밸류맵, 디스코, 땅야이다. 모두 국토교통부에 실거래가 신고된 것을 보기 편하게 만든 사이트로, 휴대전화에 앱을 다운 받아 이용할 수 있다. 개인적으로 밸류맵을 주로 이용한다. 기능상의 차이는 거의 없으므로 손에 익은 것을 사용하면 된다. 건물을 보기에는 디스코가 편하고, 토지만 보고 싶으면 땅야를 많이 이용하는 것 같다.

밸류맵으로 사례를 들어보자. 밸류맵에 접속하면 지도 위에 파란색 핀이 보이는데, 이 핀들이 국토교통부에 등록된 실거래가를 보여주는 것이다. 경매 물건의 시세를 보기 위해서 보고자 하는 경매 물건의 지번을 검색해야 한다. 경매 물건이 전북 고창군에 있는 100번지 물건이라면 '고창군 100번지'라고 말이다. 실거래가 된 거래들은 파란색 핀으로 보이고, 경매 물건은 초록색 핀으로 확인할 수 있다. 이를 클릭하면 감정가가 평당 얼마인지, 유찰이 몇 번 되었는지 등을 확인할 수 있다. 관심 물건에 대한 정보를 확인했으면 이를 토대로 주변 물건들의 거래 사례를 통해 시세를 파악하면 된다. 이 방법이 번거롭다면 인근 부동산 중개업소에 전화를 걸어 확인해도 무방하다.

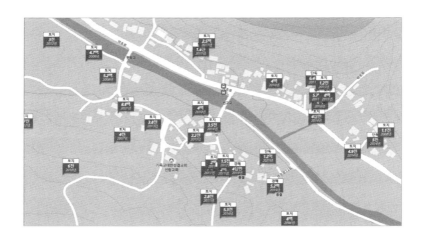

경쟁 말고 독점하라

나는 묘지 경매가 편리하다는 메리트를 적극 활용하기 위해 온라인으로 시세를 파악한다. 경매 초창기에는 내가 조사한 가격이 맞는지 불안한 마음에 부동산 중개업소에 전화를 걸어보기도 했다. 시골의 경우 마을에 부동산 중개업소가 없는 경우가 많아 조금 떨어진 읍내 부동산 중개업소에 전화를 걸어 시세를 파악했다. 시골에 있는 토지의 경우 거래가 많지 않아 정확한 시세를 아는 부동산 중개업소가 없었다. 그래서 지금은 온라인으로만 시세 조사를 한다.

현장에 답이 있다

묘지 경매를 하는 사람들이 많이 있다. 나는 낙찰받는 물건 외에 묘가 있는 물건들 대부분의 낙찰 추이를 관찰한다. 사실상 대한민국에서 진행되고 있는 묘지들을 다 보고 있다. 이 추이를 관찰하다 보면 사람들이 정말 어떤 묘가 좋은 것인지 알고 낙찰을 받는 걸까 하는 생각이 든다.

어느 날 법원에서 내 물건의 매각 순서를 기다릴 때였다. 뒷사람들이 하는 이야기가 들렸다. 어떤 물건을 입찰하러 왔는지 서로 묻더니 한 사람이 묘지만 전문으로 한다고 했다. 묘지를 전문으로 한다니 신기했는지 이 사람에게 질문이 쏟아졌다.

경쟁 말고 독점하라

질문자	어떻게 이런 묘지만 하시는 거예요?
투자자	이런 게 돈이 된다는 말이야.
질문자	어떤 물건 입찰 오셨는데요?
투자자	(경매지를 보여 주며) 이거야 이거.
질문자	받아서 해결하기 안 힘드세요?
투자자	실력이 있으면 쉽지. 그래서 난 전문으로 이런 것만 하잖아.

이 사람은 으쓱한 듯이 보였다. 묘지만 전문으로 한다는 말에 동질감을 느껴 더욱 관심이 있었다. 내 순서보다 빨라 이 사람에게 낙찰된 물건을 우연치 않게 보았는데 왜 낙찰 받는지 이해가 안 되는 물건이었다. 본인 말처럼 묘지를 전문으로 한다면 절대로 낙찰 받으

면 안 되는 묘지였다. 이 사람은 어떤 묘지를 받아야 하는지, 어떻게 묘지 경매를 해야 하는지 모르고 있었다. 유튜브를 시작하며 업로드한 '묘지 경매 이 3가지만 알면 된다'는 영상이 베일에 쌓여 있던 묘지 경매라는 시장을 많은 사람에게 알린 지표라고 생각한다.

내가 유튜브를 시작하기 전에 묘지 경매에 대해서는 대부분 묘지를 제하고 사용하라, 묘지가 없는 부분을 분할하라는 식의 이야기였다. 전문가라 칭하는 사람들조차도 어떤 묘지를 낙찰 받아야 하는지 몰랐지만 이에 대한 방향을 제시한 게 이 영상이라고 생각한다. 거기다 성과까지 직접 눈으로 보여주니 안 따라올 수 있겠는가? 이 영상에서 내가 강조한 세 가지는 다음과 같다.

첫 번째, 묘가 관리가 잘된 곳을 찾아라.
두 번째, 묘가 4기 이상 있는 곳을 찾아라.
세 번째, 묘비가 있는 곳을 찾아라.

실제로 내가 묘지 경매를 제일 잘한다 하여 대한민국 묘지 경매 일인자라는 칭호를 사용하고 있지만 2년이 넘도록 부정하는 이가 아무도 없는 것을 보면 묘지 경매를 시작하기 전에 꼭 보아야 하는 바이블이 아닐까?

나는 수강생들에게 꼭 깔끔하고 관리가 잘된 묘를 찾으라고 교육한다. 관리가 잘되어 있어야 후손들이 그만큼 애착을 가지는 것이고, 그렇기에 추후 매도하기가 더 쉽다. 여러분은 선조의 묘에 얼마나 자주 가는가? 명절마다 찾는가? 대부분이 명절을 위해 벌초를 하고 성묘를 간다. 하지만 모두 다 그렇지는 않다. 가까운 곳에 살며 묘를 관리하는 사람들도 있으므로 그만큼 묘에 애착이 있는 사람들을 찾기 위해 깔끔하고 관리가 잘된 묘를 찾으라고 하는 것이다.

이를 꼭 명심하자. 투자를 하는 목적은 확실한 수익을 얻기 위함이다. 불확실한 상황에서 리스크를 안고 투자하는 것은 목적이 아니다. 묘가 있다고 해서 다 좋은 것이 아니다. 좋은 묘가 있어야 그만큼 팔기 쉽다. 자꾸 강조하는 까닭은 뭐가 중요한지도 모르고 낙찰을 받는 사람들이 안타깝기 때문이다.

묘가 많은 곳을 찾아라

묘가 많은 곳을 찾으라고 하면 꺼림칙할 것 같은가? 물론 그럴 수 있다. 묘가 많으면 반대로 묘지에 관련된 연고자가 많다는 뜻이다. 우리 입장에서는 땅을 사갈 사람이 많은 것이니 나쁠 게 없다. 그렇다면 묘 1기가 있는 것과 5기가 있는 것 중에 어떤 것이 더 고가에 낙찰될 것 같은가? 정답은 묘 5기가 있는 것이다. 대부분의 사람들은 묘를 처리해야 하는 것이라고 인식한다. 그래서 묘의 기수가 적으면 더 좋다고 생각하는 것 같다. 그런데 아니다. 앞에서 묘의 기수가 늘어나면 연고자가 늘어나는 것이라고 했다. 묘가 1기나 2기가 있으면 통상 부모님의 묘다. 이 묘에 관련된 연고자들은 자녀들, 즉 형제들

경쟁 말고 독점하라

밖에 없다. 묘가 4기 이상 있으면 부모님과 조부모님일 수 있으며 관련된 연고자들은 두 집 이상일 가능성이 크다. 친척의 범위로 넓어지는 것이다. 그렇기에 이런 묘는 낙찰 후 좀 더 쉽게 매도가 가능한 것이다.

묘를 처리해야 한다는 프레임에 사로잡히지 말고 관점을 살짝만 틀어서 보자. 이러한 기본 정보가 있어야 묘를 낙찰 받을 때에 해결이 쉽다. 난 경매를 해온 기간에 비해 낙찰 받은 물건의 수가 굉장히 많은 편이다. 단기 매도를 통해 회전도 많이 시켰다. 내가 이렇게 단기 매도를 할 수 있었던 것은 기본에 집중했기 때문이라고 생각한다. 나 역시 지금도 한 건 한 건 처리하며 새로운 사실을 배우면서 성장한다. 묘지 분야의 경험이 압도적으로 많은 나조차도 이렇게 기본에 충실하는데 경험이 부족한 사람이라면 더욱 기본에 충실해야 하지 않을까?

분묘기지권 지료 청구 판례

분묘기지권이 성립되면 토지 주인은 함부로 묘를 훼손 및 이장할 수 없다고 앞에서 설명했다. 2021년에 관심을 받은 분묘기지권 지료 청구 판례를 소개하고자 한다. 해당 부동산에는 1940년과 1961년 각각 설치된 분묘 2기가 있고 묘지 연고자는 현재까지 위 분묘를 관리하고 있는 상태였다. 하지만 경매 낙찰자가 2014년 이 임야의 일부 지분을 경매로 취득한 다음 분묘기지에 대한 소유권 취득일 이후의 지료를 묘지 연고자에게 청구하며 시작된 소송이다.

판례에서는 토지 소유자가 지료(사용료)를 청구하면 청구한 날로부터 지료 지급 의무가 있다고 본다고 한다. 분묘기지권은 분묘가

경쟁 말고 독점하라

존속하고 분묘 수호와 봉제사가 계속되는 한 소멸하지 않으므로, 토지 소유자의 분묘기지에 대한 소유권 행사가 사실상 영구적으로 제한될 수 있다. 토지 소유자는 분묘로 인해 그 기지 부분을 제외한 나머지 토지를 효율적으로 이용하지 못하는 경우가 많다. 관습상 분묘기지권을 인정하는 취지는 분묘의 수호와 봉제사를 위해 필요한 범위에서 타인의 토지를 사용하도록 하려는 것일 뿐 분묘 소유자와 토지 소유자 중 어느 한 편의 이익만 보호하려는 것은 아니다. 그러므로 자신의 의사와 무관하게 성립한 분묘기지권으로 인해 위와 같은 불이익을 감수하여야 하는 토지 소유자에게 일정한 범위에서 토지 사용의 대가를 받을 수 있도록 함으로써 토지 소유자와 분묘기지권자 사이의 이해 관계를 합리적으로 조정할 필요가 있다.

대법원의 판결은 분묘기지권이 성립되면 사실상 토지 소유주가 토지를 활용하는 것이 사실상 영구적으로 제한되는데, 분묘기지권을 인정하는 취지는 토지 소유주와 묘지 연고자 중 한쪽의 일방적인 이득을 위해서 법률이 있는 것이 아니니 묘지 연고자는 토지 소유주에게 지료를 납부하면서 사용하라는 의미로 해석이 된다.

삼성동 수백억 자산가는
구두쇠?

이 물건은 삼성동에 거주하는 자산가에게 매도한 사례이다. 위에서 묘가 많은 곳을 낙찰

받으라고 했는데 여기에는 60기가 넘는 묘가 있었다. 이 물건을 자산가에게 매도하여 기

억에 남기도 하지만 낙찰 현장이 마치 한 편의 영화 같았다.

여느 때와 같이 법원에서 물건을 입찰하고 기다리는데 멀쑥한 차림의 한 남자가 맨 앞자

리에 앉았다. 내가 입찰한 물건은 지분으로 5건이 나온 물건 가운데 4번 물건이었다. 1번

물건은 낙찰되어 매각 절차를 종료했다. 공유자 우선 매수는 최고가 매수신고인을 호명

한 후 공유자 중에 우선 매수할 사람이 있는지 물어본 후 없으면 종료하는 절차로 진행

된다. 1번 물건을 종료한 후 2, 3번 물건은 입찰자가 없어 바로 내 순서가 되었다. 낙찰자

로 내 이름이 호명되는 순간 단독 입찰인 것을 알았다. 보증금 영수증을 받으려고 기다리

는데 아까 맨 앞에 앉았던 사람이 공유자 우선 매수를 한다는 것이다. 판사와 경매계장

이 왜 아까 안 나왔냐고 하니 말을 못 들었다고 해명했다. 내 입장에서는 낙찰 받은 물건

을 코앞에서 빼앗길 위기에 처한 것이다. 사실 이때 경매계 측에서 실수를 했다. 앞 차수

의 물건은 공유자 우선 매수의 유무를 물어봤는데 내가 입찰했던 물건은 최고가 매수 신

고인만 호명한 후 공유자 우선 매수 여부를 물어보지 않고 진행한 것이다. 나는 공유자에게 매각 절차가 종료되었으면 끝난 건데 무슨 소리를 하느냐며 한 마디를 했다. 경매계장도 본인들의 실수를 인지했는지는 어쩐지 나에게 피해가 없을 거라고 하며 그 사람에게는 어쩔 수 없다고 했다.

난 속으로 환호했다. 지분 경매를 할 때에 가장 답답한 경우가 공유자에게 연락이 오지 않거나 연락처를 알 수 없는 경우인데 지금은 떡하니 공유자가 법원에 왔기 때문이다. 보증금 영수증을 수령한 후 그 사람이 나를 따라올까 봐 뒤도 돌아보지 않고 나왔다. 아니나 다를까 잠깐 대화 좀 할 수 있냐며 나를 불러세웠다.

경매 법정 안에 앉았던 사람은 종중의 회장님이었다. 공유자 우선 매수권을 행사하러 왔는데 눈앞에서 물건을 놓쳤으니 본인도 굉장히 억울했을 것이다. 법정 밖에서 짧은 대화를 나눴는데 원하는 바를 말하라는 뉘앙스였다. 즉 적당한 가격에 팔라는 의미였다. 나는 지금 할 말이 없고 잔금 납부 후에 다시 이야기하자며 자리에서 일어났다. 그랬더니 당황한 기색을 보이며 연락처를 알려달라고 했다. 본인들이 연락처도 필요하냐고 물었지만 나는 괜찮다며 뒤도 돌아보지 않고 법원을 나왔다. 내가 납부한 것은 입찰보증금밖에 없지만 이미 게임은 끝났다고 생각했다.

집으로 가면서 아내에게 전화를 걸어 영화 한 편을 찍었다고 했다. 공유자가 와서 헛걸음할 뻔했던 일이 내게 기회로 돌아왔으니 말이다. 경매는 잔금 납부를 바로 할 수 없다. 낙찰 후 7일 후에 매각 결정이 나고, 그 후 7일 동안 이의제기할 수 있는 기간을 준다. 이 2주일 동안 종중 측에서는 연락이 오지 않았다. 아마 법원에서의 내 태도를 보고 무슨 생각인지 궁금해하며 기다리는 것 같았다.

경쟁 말고 독점하라

2주일 후에 지체할 필요 없이 소유권 이전 등기를 마치고 내용 증명을 보냈더니 바로 연락이 왔다. 가격이 쟁점이었다. 법원 측의 실수만 없었으면 물건을 낙찰가에 가져올 수 있었는데 그 가격에 내가 원하는 차익만큼 더 줘야 하니 속이 쓰리지 않겠는가?

종중 회장님이 원하는 바를 말하라고 해서 돌려 말하지 않고 단도직입적으로 말했다. 일주일 동안 가격을 두고 꽤 신경전을 벌였다. 그러다가 의견 차이를 좁히지 못해 나는 절차대로 하겠다고 했고 이 분도 해 볼 테면 해 보라는 식으로 마지막 통화를 했다.

쉽게 해결이 될 줄 알았는데 예상치 못한 전개였다. 그렇게 통화를 마친 후 이틀이 지났을 즈음 회장님에게서 만나자는 전화가 왔다. 만나서 이야기하자는 것은 결국 본인이 살 테니 가격을 협상하자는 것이다.

마침 서울에 볼일이 있어 간 김에 만나기로 했다. 이 분은 장충동에 있는 본인 건물에서 사업을 하고 계셨다. 종중 선산이 어떻게 경매로 나오게 되었는지 말했다. 집안 종원들 몇 명이 소유권을 가지고 있다가 종중으로 명의를 모두 넘겼는데 그 중 한 집안이 종중과 사이가 안 좋아져서 명의를 가지고 버티다가 이 사단이 난 것이다. 사실 나를 만나자고 한 목적은 가격의 조정 외에는 없다.

나는 평소에 말이 없는 스타일이어서 공유자를 만나 대화를 하더라도 말을 많이 하지 않는다. 종중 회장님은 내 마음을 돌리고자 이런저런 이야기를 하셨지만 난 그저 많이 들어주었다. 그러다가 가격을 굳혀야겠다는 판단이 서서 회장님의 스토리를 듣기 위해 운을 띄웠다. 보통 성공한 사람들은 본인의 이야기하는 것을 좋아한다.

본인이 사업을 시작하게 된 것은 IMF 때라면서 이야기를 이어갔다. 장충동에 있는 본인 소유의 사업장 외에 본인이 거주하는 삼성동 아파트, 아들 내외에게 증여한 강남 아파트

두 채(그 중 하나가 서초 미도아파트이다), 별장을 가지고 있었다. 가지고 있는 집만 100억이 넘지만 대출이 하나도 없으니 재력은 말할 필요도 없을 것이다. 경매를 하다 재력이 있는 사람들을 만나면 나에게 도움을 되는 인맥이 있다는 뉘앙스를 풍기는 경우가 있다. 이 분도 그랬다. 본인의 지인 중 1천억대 자산가가 있어 담보만 가져오면 저리에 돈을 융통해 줄 수 있을 것이라는 둥, 사업하다 보면 돈이 필요한 순간이 있다면서 본인을 알아두면 도움이 될 것이라는 둥 하며 어필을 했다.

대화를 끝내고 자리를 일어나는데 나에게 쇼핑백을 건넸다. 부담되어 거절하니 별거 아니라고 홍삼 절편과 마스크였다. 이때가 코로나 이후 마스크 이슈가 있을 때였는데 본인이 마스크 공장도 운영 중이라고 하셨다. 인사를 하고 어디에 주차를 하셨는지 여쭤보니 지하철을 타고 오셨다고 했다. 서울에서 이동하기에는 지하철이 제일 편하다고 하시면서 말이다. 이때 이 분의 성향을 알아봤어야 했다.

며칠 뒤에 이 물건을 매도하기 위해 약속 장소에 갔다. 친구 분이 의정부법원 앞에서 법무사를 하시는 터라 거기서 매도 계약을 했다. 계약을 마무리하고 같이 식사를 하며 부동산에 대해 이런저런 이야기를 했고, 이렇게 만난 것도 인연인데 경기 남부권에서 공장 부지를 찾고 있다며 경매나 공매 물건 중에 괜찮은 게 있으면 소개해 달라는 부탁까지 받으며 자리를 마무리했다. 헤어지려고 보니 이 분이 삼성동에서 의정부까지 타고 온 차는 베이지색 모닝이었다. 경차가 나쁘다는 것이 아니라 전혀 예상하지 못한 차를 타고 오셔서 놀랐다. 연세도 있으시고 거리도 있는데 기사나 직원을 대동해서 오실 법도 한데 혼자 경차를 끌고 의정부까지 오셨으니 말이다. 검소한 모습에 굉장히 놀랐다. 개인적으로 부자가 되는 방법은 소비를 줄이는 것이 아니라 수익을 극대화시키는 것이 맞다고 생각했기에 더욱 그랬다.

이 분의 투자 철학을 보면 가장 먼저 반포의 미도아파트를 소유했다. 어떻게 이 아파트를 소유하게 되었냐면 지인 집에 1억 원짜리 전세로 거주하고 있었는데 그러던 중 IMF가 터졌고 지인의 사정이 어려워져 지인이 이 집을 사라고 권유했다고 한다. 그래서 7천만 원을 더해 1억 7천만 원에 생애 첫 아파트가 생겼다고 한다. 1억 7천만 원에 구입한 이 집이 현재는 재건축을 추진 중이며 27억 원이 되었다. 이 집에 꽤 오래 거주했는데 집값이 오르는 것을 보며 강남 불패를 느꼈다고 한다. 그 뒤로는 사업이 잘 된 것도 있지만 강남을 고집하며 주거용으로 한 채, 두 채 매입하다 보니 지금의 재력이 생겼다고 한다. 결국 가장 좋은 것만 샀더니 자연스럽게 재력이 형성된 것이다. 주위에 강남에 거주하는 사람이 없었는데 강남에 거주하는 재력가를 만나 뵌 것이라 재미있는 경험이었다. 이 물건은 잔금 납부 후 12일 뒤에 1,700만 원의 차익을 남기고 팔았다.

3장

묘지는 어떻게
협상하는가?

욕 먹고 돈 벌면
좋아요?

제목이 좀 자극적이라고 생각하는가? 다른 사람의 묘지를 낙찰받아 되파는 일을 하기에 욕을 먹으면서 돈을 번다고 오해하는 사람들이 있어서 이 내용을 넣었다. 대한민국에서 묘지를 가장 많이 사고팔았지만 여태까지 단 한 번도 욕을 먹은 적이 없다. 처음 경매를 시작할 때에 묘지가 아니라도 지분 경매 자체가 돈을 버는 만큼 욕도 많이 먹는다고 들어 걱정했었다.

묘지는 명도 등 기타 과정이 없어 매도하러 가서야 공유자를 대면한다. 공유자는 대부분 연배가 있는데, 이 사람들이 허리를 굽혀 내게 감사 인사를 한다. 덕분에 땅을 지켰다고, 묘를 지켰다고. 참 아이러니하다. 일반적으로 생각해 보면 나는 이들 선조의 묘를 가지고 압박을 했고, 또한 이를 통해 돈을 벌었다. 나만 좋은 일인데 이들은 나에게 감사함을 표한다. 내가 나쁜 사람인 거 같은데 고맙다는 말을 들으며 돈을 벌다니. 왜 그럴까 하고 생각해 보니 아마 내가 도의적인 선을 잘 지켜서 그런 것 같다.

이 일을 업으로 하며 느끼는 것은 결국 사람과 사람이 하는 일이기에 말로 잘 풀어보면 안 될 일은 없다는 것이다. 지분 경매를 하는 사람들 중에는 간혹 한탕주의로 공유자에게 과도한 금전을 요구하거나 압박을 한다. 이렇게 하면 팔 땅도 못 팔게 되고, 팔고도 욕을 먹는 것이다. 묘지 경매를 통해 만난 인연이지만 이 인연이 살아가다가 언제 어떻게 연결될지 모르는 일이다. 지금은 내가 우위에 있는 게 맞을 수는 있으나 나는 이를 강조하지는 않는다. 지금 잠시 내가 우위에 있는 것일 뿐 언제 고지를 빼앗길지는 모르기 때문이다. 그래서 '정도'라는 말이 있지 않겠는가? 내가 이제껏 순탄하게 묘지 경매를 할 수 있었던 것은 이 정도를 걸었기 때문인지도 모르겠다. 누군가는 나를 부정적으로 바라볼 수 있고, 저렇게까지 해야 하나 욕을 할 수도 있다. 이해는 한다. 관점과 견해의 차이일 뿐이니까 말이다.

묘지 경매를 하면서 생각보다 뿌듯할 때가 많다. 묘지 경매를 해 본 사람들이라면 이 말을 이해할 것이다. 아직 해 보지 않았다면 단한 번만이라도 시도하라. 그러면 내 말에 충분히 공감할 것이다. 설령 욕을 먹는다 해도 욕을 안 먹고 돈이 없어 고민하며 사는 것보다 욕을 먹더라도 나처럼 돈에서 해방된 삶을 살고 싶지 않은가?

협상의 시작

일반적으로 묘지 경매는 낙찰 후에 협상하는 순서로 진행된다. 협상을 하려면 공유자에게 연락을 해야 한다. 등기부등본에는 공유자의 이름과 주소지만 나와 있다. 전화번호라도 있으면 전화라도 걸어볼 텐데 말이다. 그래서 내용 증명을 보내고 항상 전화를 기다리는 입장이다.

공유자는 두 가지 태도를 보이는데, 내용 증명을 받은 후 연락하는 경우와 낙찰자가 어떻게 하는지 지켜보는 경우이다. 내용 증명을 발송한 후 예상하지 못한 상황에서 전화가 오는 경우가 있다. 갑자기 공유자의 전화를 받고 협상을 이어가야 하는 경우다. 협상을 많이 해 본 사람들은 긴장하지 않고 이를 잘 진행할 수 있지만 대부분의 사람들은 무슨 말을 해야 할까 걱정한다. 나도 그랬다. 그 당시 사용하고 있는 아이폰은 통화 녹음이 안 되어서 가지고 있던 태블릿 PC에 개통을 하여 협상용 휴대전화로 사용했다. 태블릿 PC에 전화벨이 울릴 때마다 심장이 벌렁벌렁하는 것이다. 무슨 말을 해야 할까, 나에게 뭐라고 하지는 않을까? 낙찰자 중에 특히 여자나 젊은 사람들이 이러한 걱정을 많이 한다. 내 목소리가 너무 젊어 보여서, 여자라서 혹시 만만하게 보지는 않을까 하고. 나도 이런 고민을 했다. 내가 첫 묘지를 낙찰 받은 게 26세였으니 말이다. 하지만 겪어보니 공유자의 목적은 묘지를 지키는 것이지 낙찰자가 어떤 사람인지 파악하는 게 목적은 아니다. 그러니 협상을 하기도 전에 괜한 걱정은 하지 않아도 된다. 다만 협상의 시작은 내용 증명을 보내는 순간 시작된다. 내용 증명을 보내는 순간부터 무슨 말을 어떻게 할지 미리 생각해 두는것이 좋다.

지분 경매의 핵심

협상에 대해 이야기를 하기 전에 지분 경매의 핵심을 짚고 넘어가자. 지분으로 매각되는 부동산은 무수히 많다. 아파트, 상가, 토지, 심지어 세금을 체납했을 때 집에 있는 가전이나 가구도 공매로 매각 후 배우자에게 우선권을 주니 이 또한 지분의 일환이라 할 수 있을 것이다.

그러면 어떤 지분을 낙찰 받아야 쉽게 해결할 수 있을까?

사례를 들어보자. 이 집은 시골에 위치해 있다. 난 이 집이 위치한 토지를 지분 경매로 낙찰 받았다. 낙찰가는 320만 원이다. 왜 이 집을 낙찰 받았을까?

경쟁 말고 독점하라

　나와 같이 집을 소유하고 있는 이들은 형제였다. 낙찰된 이 토지 위에 이들의 모친이 거주하고 있는 집이 있었다. 난 이를 파악하고 있었고 협상이 쉬울 것으로 판단해 이 토지를 입찰한 것이다.

　위에 말한 내용을 토대로 보면 무엇이 지분 경매에서 가장 중요하다고 여겨지는가? 그렇다. 지분 경매의 핵심은 공유자에게 이 부동산의 필요 유무이다. 투자에서 심리를 자꾸 언급하는 것은 결국 모든 투자는 사람과 사람이 하는 일이기 때문이다. 이 땅을 낙찰 받은 목적은 되팔기 위해서다. 그런데 이 토지가 이들에게 필요가 없다면 나는 불필요한 땅을 낙찰 받은 것이고 내 돈은 나를 떠나게 된다. 그렇기에 지분 경매로 수익을 내려면 이 땅이, 이 집이 공유자에게 꼭 필요한지를 역지사지의 입장에서 따져본 후에 입찰을 결정해야 한다.

　자녀의 나이를 보니 노모가 거주하고 계신 듯이 보였고 시골에 계신 분을 자기 집으로 데려가 부양하며 살기는 쉽지 않을 것으로 판단해 입찰을 결정한 것이다. 집이 조립식 주택이기는 했으나 깔끔해 보였다. 낙찰을 받은 다음 집 담벼락에 애용하는 빨간 현수막을 부착했다.

시골이라는 좁은 동네에서 눈에 띄는 빨간색 현수막, 경매로 이 토지가 매각되었다는 사실까지. 안 떼고는 못 배기는 현수막이다. 현수막을 걸고 얼마 지나지 않아 아들 중 한 명에게서 전화가 왔다. 묘지보다는 매도까지 시간이 좀 더 걸렸던 것 같다. 내가 있는 곳으로 찾아갈 테니 만나자는 것이다. 그래서 이들은 세종시로 나를 찾

경쟁 말고 독점하라

아왔다. 본인과 아내 그리고 조카까지 총 세 명이 왔다. 이런 경험은 꽤 있다. 특히 대다수가 나보다 연배가 많기에 만나서 이야기를 하고 싶어한다. 이렇게 찾아온다는 것은 좋은 일이다. 낙찰된 부동산을 살 건데 가격을 조율하고자 설득을 하러 오는 것이기 때문이다. 즉 이미 사려고 마음을 먹은 상태라는 말이다. 협상은 음료가 나오기도 전에 끝났다. 단도직입적으로 가격을 조율하면 매입한다고 했다. 아시다시피 어머니가 살고 계시고 초기 치매 증상이 있어서 처음에는 그냥 두려고 했지만 조카(채무자의 아들)가 그래도 지켜야 하지 않겠느냐고 해서 움직이게 되었다고 한다.

주위에서는 나를 보고 찔러도 피 한 방울 안 나올 것 같다고들 한다. 일을 할 때 냉정하다고 말하는 이들도 있지만 나도 사람이다. 또, 나를 만나기 위해 직접 세종까지 온 것을 높이 평가하여 낙찰 받은 금액에서 300만 원의 수익을 남기는 조건으로 매도했다. 큰 수익은 아니었으나 법정지상권 물건치고 나쁘지 않은 결과였다. 법정지상권을 설명하기 위해서는 지상권의 개념을 먼저 알아야 한다.

> **제279조(지상권의 내용)**
> 지상권자는 타인의 토지에 건물 기타 공작물이나 수목을 소유하기 위하여 그 토지를 사용하는 권리가 있다.

지상권은 토지를 사용하는 권리를 말하는데 낙찰 받는 물건에 건물과 토지가 함께 매각되는 것이 아닌 개별적으로 매각되는 물건을 경매 시장에서 법정지상권 물건이라고 표현한다. 분묘기지권이 묘를 지킬 수 있는 권리라면, 법정지상권이 성립이 되는 물건은 본인 건물을 지킬 수 있는 권리라고 이해하면 된다. 결국 지분 경매의 핵심은 역지사지다.

내가 파는 사람의 입장이 아닌 사는 사람의 입장이 되어 공유자에게 이 땅이, 이 집이 필요한지 두 번, 세 번 질문했을 때에도 예스라면 입찰해도 좋다. 묘지 역시 그렇다. 가정을 하고 공유자에게 이 땅이 필요하지 않을 것이라고 여겨지면 그 땅은 낙찰 후 해결하기가 어려울 가능성이 크다.

묘지는 분묘기지권이라는 까다로운 장치가 있어 어려워 보인다. 하지만 묘지를 처리해보니 다른 특수 물건이 쉽게 느껴졌다. 묘지를 시작으로 토지, 집, 도로 등 여러 특수 물건을 경험했는데, 남들이 가장 어렵다고 느끼는 묘지가 방법만 알면 이보다 쉬운 것은 없었다. 일반적으로 법정지상권이 성립하지 않으면 내가 이 집을 철거하기 위해 소송을 해야 하지만 이 집을 철거할 수 있는 가능성이 커지기에 협상에서 유리하게 작용할 것으로 생각한다. 하지만 경험한 바로는 이 사람들이 집에 살고 있기 때문에 소송을 걸기 전에는 반응하지 않

경쟁 말고 독점하라

는 경우가 많았다. 이 말은 묘지보다 소송 비중이 더 크고 시간도 오래 걸렸다. 누구나 단기간에 수익을 보고 싶지 장기간 소송을 진행하며 수익을 내고 싶지는 않을 것이다. 특히 이 책을 보는 경매 입문자는 소송을 해 보지 않았기에 더욱 이 단어가 부담이 될 텐데 묘지는 심리적인 이유로 소송을 가는 빈도가 적어서 좋다.

이 물건은 차익은 크지 않았지만 나도, 공유자도 만족스러운 거래였다. 만약 내가 공유자의 입장에서 생각하지 않고 필요 없는 부동산을 낙찰 받았다면 이러한 결과가 나오지 않았을 것이다. 모든 투자는 심리가 중요하기에 여러분도 상대방의 심리를 이용해야 한다는 것을 잊지 않아야 한다. 역지사지, 묘지를 낙찰 받을 때에도 꼭 이 부분을 명심하여 진행하기를 바란다.

협상이란 무엇인가?

　여러분은 협상이 무엇이라고 생각하는가? 협상이라는 단어 자체만 보면 부담이 될 수도 있지만 사실 우리는 매일 크고 작은 협상을 하며 살아간다. 어떤 물건을 구매할 때에 가격을 흥정하는 것 또한 협상이다. 경매를 하다 보면 협상을 많이 한다. 나도 경매를 처음 시작할 때 협상에 대한 두려움이 있었다. 어떻게 말해야 협상을 잘 이끌어 갈 수 있을까, 내가 원하는 결과를 가져올 수 있을까, 말이다. 명도를 하는 것도 협상이고, 지분 물건을 매도하는 것도 협상이다. 사람들은 내가 어떻게 협상하는지 궁금해한다. 그도 그럴 것이 단기간에 지분을 팔아버리니 남이 보기에는 협상의 달인처럼 보이나 보다. 나라고 해서 특별한 것은 없지만 그동안 경매를 하며 느꼈던 점을 이야기해 볼까 한다.

먼저 협상을 하는 최종 목적은 이익을 얻기 위해서이다. 특히 부동산 협상은 재화와 직접 연결되어 있다. 협상을 잘하면 그만큼 이익을 얻을 수도 있고, 손해를 보지 않을 수도 있다. 둘 다 이익을 얻는 협상을 하면 가장 좋겠지만 이는 말처럼 쉽지 않다. 둘 중에 누군가는 더 이익을 보고 누군가는 덜 이익을 보는 것이 협상의 굴레다. 그렇다고 해서 협상을 일방적으로 이어 나가서는 안 된다.

예전에 묘지 연고자에게 이런 전화를 받은 적이 있다. 누군가가 본인의 선산을 낙찰 받은 후 1억 원을 요구했다는 것이다. 내가 묘지 경매에 조예가 깊으니 도움을 청한 것이다. 낙찰자가 얼마에 낙찰 받은 지 물어보니 1천만 원 남짓에 받아 1억 원을 요구하며 이하로는 팔 생각이 없다고 고집하여 공유물 분할 소송 판결까지 진행이 된 상황이라고 했다. 이 사례에서 누가 협상의 승리자라 생각하는가? 낙찰자? 아니다. 이 협상에서 승리한 사람은 아무도 없다. 둘 다 피해를 본 케이스다. 낙찰자는 과도한 금액을 요구하며 본인의 투자금을 회수하지 못할 가능성이 커졌다. 본인의 협상 방법으로 시간 또한 많이 소모했음은 물론이다. 묘지 연고자가 어떻게 대응했는지는 모르지만 이 사람 또한 형식적 경매(현금 분할)가 진행된다면 손해일 것이다. 협상이란 누군가가 조금 더 웃고 덜 웃고의 차이지만 이렇게 둘 다 울게 되는 사례는 협상 과정에서 충분히 조정할 수 있다. 그래서 난 내가 수익을 보는 구조이지만 협상 대상자들 또한 피해를 보지 않게 잘 대처하기에 웃으며 마무리한다.

1 상대방을 파악하라

지피지기면 백전백승이라고 했다. 협상에서 상대방을 잘 아는 것만큼 중요한 것은 없다. 상대방을 잘 알면 자연스럽게 이들이 무슨 생각을 하고 어떤 결정을 할지가 보인다. 묘지 경매를 하다 보면 집안마다 성향이 차이가 있다. 어떤 집에서는 이런 상황에서 A라는 선택을 하고 어떤 집에서는 B라는 선택을 한다. 집안별로 성향과 분위기에 따라 선택하는 것이 모두 다르다. 그렇기에 협상 전에 상대방을 올바로 파악하는 것이 중요하다.

2 상대방의 목적을 파악하라

협상을 통해 무엇을 얻으려고 하는지를 파악해야 한다. 나에게 땅을 매입하려고 하는지, 내 의중을 떠보려고 하는지 등 상대방이 원하는 것을 알면 우리가 그들의 의중을 파악하고 요구에 맞는 조건을 찾기가 쉽기 때문이다. 또한 그 과정에서 상대방의 속사정을 알게 된다면 우리가 그들이 고민하는 부분 또한 해결해 줄 수 있기도 하다. 그러기 위해서는 상대방의 목적이 파악될 때까지는 가급적 이야기를 들어주는 것이 좋다. 협상을 할 때 본인의 이익을 위해 내가 하고 싶은 말만 따발총처럼 쏘아 뱉는 사람들도 있는데 이런 경우는 상대방의 의중을 파악하기도 전에 내 패를 뻔히 내보이는 협상 방법이므로 지양하기를 바란다.

3 협상의 결정권자를 파악하라

협상을 하는 사람들은 그 가족을 대표해서 우리와 협상을 한다. 그런데 그 사람이 결정권자일 수도 있고 아닐 수도 있다. 무슨 말이냐 하면 본인이 대표로 나서기는 했지만 이야기를 듣고 결정할 수 있는 힘을 가진 사람일 수도 있고, 집안에서 젊다는 이유만으로 대표자가 된 경우도 있다. 우리와 협상하는 사람이 결정권이 있다면 일은 쉽게 풀린다. P2P로 둘이서 해결하면 된다. 하지만 가족의 동의를 구해야 하는 입장이라면 내가 호의를 베풀었을 때에 NO라는 대답을 가져오는 경우도 있다. 그래서 결정권이 있는 사람과 직접 협상하는 것이 좋다. 더 심플하기 때문이다.

회사를 예로 들더라도 사장과 사장이 협상을 진행할 때에 서로 이익이 맞다면 쿨하게 일을 진행할 수 있지만, 회사의 팀장과 협상을 진행하면 팀장이 가져온 안을 과장, 부장, 사장 이렇게 결재를 받아야 비로소 결정되니 말이다. 간혹 결정권은 하나도 없으면서 오지랖만 넓어 연락을 하는 사람도 있는데, 이런 사람과는 길게 대화할 필요가 없다. 시간만 낭비하는 셈이기 때문이다.

4 지식을 보여주라

협상을 할 때에 가지고 있는 지식을 보여주는 것이 좋다. 다만 과유불급이 되지 않도록 적당히 보여주어야 한다. 상대방에게 관련 지식을 많이 알고 있는 전문가라고 느끼게 하면 협상을 보다 쉽게 이끌 수 있다. 자랑은 불필요하지만 전문가처럼 보일 만한 지식은 항상 준비해 두는 것이 중요하다.

5 합리적이라는 인식을 주어라

묘지 경매에서 협상하는 대다수 사람은 이 거래가 불합리하다고 생각한다. 낙찰금에 웃돈을 주고 사야 하기 때문에 그렇게 생각할 것이다. 한 수강생이 이런 말을 한 적이 있다. 예전에 본인이 거래를 하러 법무사에 갔는데 분위기가 싸해 말을 한마디도 못 하고 있다가 법무사 측에서 이 정도면 낙찰자가 잘 마무리한 거라고 말을 해 분위기가 좀 나아졌다는 것이다. 그러면서 내게 어떻게 공유자와 웃으면서 마무리를 하는지 궁금해했다. 공유자와 식사하며 마무리를 하거나 감사 인사를 들으며 매도하는 것이 꽤 신기했다고 했다. 그 이유를 곰곰이 생각해 보니 협상을 하면서 합리적인 선택을 했다는 인식을 주었기 때문이지 않을까? 합리적이라는 인식을 주기 위해서는 만약 협상이 안 되었다면 이렇게 되었을 것이라는 등 최악의 상황을 알려주는 것도 하나의 방법이다. 본인이 하는 선택이 어떠한 결과를 가지고 올지 모르기 때문이다. 이보다는 협상안에 따르는 것이 옳은 선택이라는 것을 보여주면 자연스럽게 합리적이라고 생각할 수 있다.

묘지를 매도하러 가서
무슨 이야기를 할까?

공유자의 선조의 묘가 있는 땅을 낙찰 받아 압박하니 나를 나쁜 사람이라고 생각할 수 있다. 이런 내가 묘지를 매도하러 가면 공유자(묘지 연고자)와 무슨 이야기를 할까? 공유자의 95%는 서로 웃으며 잘 마무리한다. 나는 수익을 냈고 그들은 토지를 지켰기 때문이다. 공유자는 하나같이 젊은 분이 대단하다, 어떻게 이런 묘지만 하느냐, 투자 안목이 대단하다는 등의 말을 한다. 나도 그들에게 토지를 팔기로 결정한 것이니 그에 대한 감사를 표시한다.

협상하기 전에는 서로 감정이 상할 수 있지만 가격 조율이 끝나 마무리하려고 만나면 불쾌감을 드러내는 사람은 없다. 대개 어떻게 하다가 본인들 땅이 경매로 나오게 되었는지 사연을 말한다. 사실 본인이 잘못한 게 아니기 때문에 억울한 면도 없지 않을 것이다. 그런 마음에 나에게 하소연을 하는 것이다. 이들은 분명 형제, 친척 관계이다.

나에게 매수한 땅에 다시 이들의 이름을 올려 줄까? 묘지를 100건 이상 해결했지만 아직까지 채무자를 소유자로 다시 올리는 사람은 없었다. 그도 그럴 것이다. 대개 채무자가 사고(빚을 변제하지 못하고 돈을 까먹는 일을 전체적으로 사고라고 표현하는 점을 양해 바란다)를 이번만 친 것은 아닐 것이다. 도움을 준 가족도 있을 것이다. 자꾸 사고를 쳐서 이 사단이 난 것이기 때문에 절대로 다시 명의를 주지 않는다. 이 사람에게 명의를 준다면 또다시 이런 일이 일어날 게 뻔하기 때문이다.

그럼 나머지 5%는 누구일까? 매매 계약을 할 때에 혼자 오는 사람도 있지만 몇 명의 가족이 오기도 한다. 개중에는 마음속에 화가 남아 있는 사람들이 있다. 직접 티를 내지는 않지만 말하는 걸 들어보면 티가 난다. 웃돈을 주고 사는 게 억울하기 때문이다. 일을 이렇게 해결하기로 했지만 사실 말도 안 된다, 억울하다 등의 표현을 한다. 나도 그 마음을 충분히 이해하기 때문에 나는 말을 아끼고 되도록 듣는다. 수익을 보는 것도 있지만 사람 된 도리로서 말이다. 이런 사람이 있는가 하면 또 말리는 사람도 있다. 좋게 해결했고 아까 이미 다 말이 끝났으니 그만해라, 좋게 마무리하는데 왜 그러냐는 등 하면서 중재를 한다. 일이 해결되는 데에는 내 입장에서도, 공유자의 입장에서도 중재자의 역할이 크다. 부회장 사건을 기억하는가? 집안에 기둥이자 중재자가 바른 선택을 하지 못하면 선조가 이사를 가야 하는 것이다. 나는 수익을 냈고 이들은 묘를 지켰다. 집안에서 중재자가 하는 역할이 크다. 현명하다고 생각한다.

묘지 경매에 대한 콘텐츠를 제작하여 유튜브에 업로드하고, 교육을 하다 보니 연고자들이 나를 알고 있는 경우가 많다. 내용 증명을 받고 법인이나 내 이름을 검색하다가 알게 되는 경우가 많은 듯하다. 난 상대방에 대해 잘 모르지만 상대방은 나를 충분히 파악하고 있다는 말이다. 이것이 양날의 검이다. 공유자 입장에서는 내가 그동안 해온 일들을 듣고 보면서 협상에 유리한 결정을 할 수도 있고, 반대로 내 패를 뻔히 알고 있기에 내 의도대로 움직이지 않을 수도 있기 때문이다. 하지만 진정한 고수는 연장 탓을 하지 않는다. 이들이 나에 대해 많이 알고 있어도 결국 승기를 가져오면 그만이다. 만약 내가 이를 두려워했다면 묘지 경매라는 콘텐츠를 가지고 수면 위로 올라오지 않았을 것이다. 점차 난도가 높아지면 이를 깨는 재미도 있지 않을까?

경쟁 말고 독점하라

수강생의 성공 사례

이번에는 수강생들의 사례를 살펴보자. 대한민국 묘지 경매 일인 자라는 타이틀이 있기에 수강생도 굉장히 다양하다. 1개월에 3건 이상씩 묘지 경매를 하며 전업 투자의 길로 뛰어든 수강생이 있고, 직장을 다니면서 묘지 경매를 하여 수익이 월급을 뛰어넘은 수강생도 있다. 가장 많이 받는 질문이 경매가 처음인데 바로 실행에 옮길 수 있을까 하는 것이다. 이에 딱 맞는 사례를 소개한다.

경매가 처음이거나 경매 공부는 했는데 패찰만 해서 입문하지 못한 사람들이 있다. 이들의 경매 첫걸음을 함께한 적이 많다. 누군가의 처음을 함께한다는 것은 뜻깊은 일이다. 앞에서 말했듯이 처음 시작하는 사람이 잘한다. 빈 도화지 상태라 내가 그려준 그림대로 해내기가 쉽기 때문이다. 모두가 그렇지는 않은데 나처럼 무작정 시작하는 사람들은 더 잘 한다. 반대로 이 이론을 가지고 잘 할 수 있을까 의심하며 머뭇거리는 사람들은 교육 이후에도 경매 시장에 참여하지 못 한다.

전자의 사례를 들어보려 한다. 이 수강생은 1995년생 투자자로, 나에게 교육을 듣던 당시 26세였다. 물리치료사로 일하고 있었고 경제적으로 풍족하게 자라지 못해 돈에 대한 갈망이 많았다. 여느 직장인들처럼 투잡으로 수익을 내는 것에 관심이 많아서 블로그 마케팅, 스마트 스토어, 구매대행 등 여러 부수입 강의를 듣다가 나에게 배움을 구하러 온 것이다.

처음에는 반신반의했다고 한다. 다들 수익을 낼 수 있다고 거창하게 포장을 하고 강의를 하는데, 실상 들여다보면 수익은 적고 경쟁은 치열해서 이미 레드오션이었다고 했다. 그러면서 나 또한 그럴 것이라고 생각했다는 것이다.

기본 교육을 마치고 이 수강생이 낙찰을 받았다. 투자 경험이 없기에 공유자와 무슨 내용으로 통화할지 컴퓨터 메모장에 빼곡하게 써 놓은 말들을 보면서 협상을 이어 나갔다. 처음이다 보니 긴장을 많이 한 듯이 보였다. 그럼에도 불구하고 1개월이 채 안 되어 물건을

경쟁 말고 독점하라

매도하고 수익을 냈다. 그러고는 바로 심화 교육을 요청했다. 처음에는 강의 비용이 이렇게 고가인데 돈을 내고 들을 필요가 있을까 하고 생각했다고 한다. 그런데 정말 수익이 나니까 이게 되는구나 싶어 내 인사이트를 알고자 다음 과정까지 수강한 것이다. 교육하면서 만나 이런저런 이야기를 들어보니 몇 차례 더 경험한 후에 퇴사하고 전업투자자의 길로 뛰어들고 싶다고 했다. 이 수강생은 경기도 여주에 거주하는 터라 경매를 할 때 거리의 제약이 있는데도 주말에 시간을 내서 한 번에 여러 곳을 임장하며 열심히 하는 모습을 보였다. 수익을 내면 누구나 더 열심히 하게 된다. 우리는 못 하는 게 아니다. 하지 않고 있을 뿐인 거다.

이번에는 30대 초반의 여자 수강생이다. 이전 사례와는 달리 이 수강생은 경매 강의를 들으며 공부를 많이 했다. 하지만 투자금과 경쟁적인 측면 때문에 입문하지 못하고 있었다. 그러던 차에 나를 알게 되어 묘지 경매로 첫 낙찰과 수익을 내며 진정한 경매의 길에 입문한 케이스이다.

조금 특이한 경우인데 본인은 궁지에 몰리지 않으면 열심히 안 하는 성격이라 여기에 올인을 하겠다는 마음으로 퇴사를 하고 나를 찾아왔다. 이 수강생이 한 가지 기억에 남는 게 임장하면 항상 길을 못 찾는다는 것이다. 묘지로 가는 길을 찾아야 하는데 본인은 아무리

봐도 길이 보이지 않아 현장을 갔다가 허탕을 치고 그냥 돌아온 경우가 여러 번 있었다고 한다. 그래서 마음에 드는 물건을 온라인으로 같이 살펴보고 이렇게 길을 찾아가면 도착할 수 있을 것이라고 조언했다. 그 물건이 이 수강생의 첫 낙찰 건이 되었다. 시기적으로 해결이 쉽게 될 것이라고 예상했다. 추석 바로 전에 나온 물건이었기 때문이다. 묘지 연고자가 협상할 때에 심리전을 하는 경우가 있다. 나야 워낙 공유자와 많이 통화하다 보니 속내를 간파할 수 있지만 처음 진행하면 긴장을 많이 해서 이런 부분을 많이 놓친다. 이 수강생은 협상 과정에서 공유자가 알아서 하라고 하여 해결이 안 될까 봐 내게 연락을 했다. 내용을 들어보니 공유자가 일부러 튕기고 있는 듯해 조급해하지 말고 절차대로 진행하라고 조언했고 낙찰 후 딱 1개월 만에 수익을 실현할 수 있었다. 낙찰된 후에 정말 1개월 걸렸다며 신기해하던 게 아직도 기억에 남는다. 그 후로는 여러분이 더 잘 아실 것이라고 생각한다. 인천에서 전남 무안까지 다니며 열심히 수익을 내고 있다.

이번에는 30대 후반의 남자 수강생이다. 많은 고민을 하고 교육을 들으러 왔다. 교육 전에 아파트 한 채를 전세를 주어 1억 원 정도의 목돈이 생겼는데 이 돈으로 묘지 투자가 가능할지 문의한 후 2개월가량을 고민하다 나를 찾아왔다. 이 수강생 또한 경매가 처음이었다. 교육을 듣고 당장이라도 열의에 차서 바로 임장을 간 것 같다. 꽤 많은 물건을 낙찰 받았는데 교육 이후 처음 낙찰 받은 물건은 열의에 차서 그런지 내가 말한 대로 하지 않아 작은 실수가 있었고 소송을 진행했다. 하지만 그 이후에는 좋은 물건들을 낙찰 받았다. 하루에 여러 건의 마음에 드는 물건이 있으면 가족과 함께 분산해서 입찰을 다닌다. 가족 단위의 사업이 된 것이다.

이 수강생을 보면 노력은 배신하지 않는다는 것을 알 수 있다. 처음에는 열정만 가득해서 방향을 잘못 잡았는데 조금만 방향을 잡아주니까 지금은 전업투자자로서 아주 잘 하고 있다. 2022년 1월 이 수강생의 올해 목표가 묘지로 순수익 1억 원을 내는 것이라고 연락이 왔다. 충분히 가능하고, 올해 1억 원의 목표를 달성하면 내년에는 2억 원, 3억 원도 가능할 것이다.

묘지 경매의 실패 사례

투자가 항상 성공할 수는 없다. 앞에서 좋은 사례들을 다루었으니 이번에는 실패 사례를 살펴보려 한다. 나는 묘지 경매를 하며 이렇다 할 실패를 겪어보지는 않았다. 하지만 경매 초창기에 내가 겪은 에피소드도 실패라면 실패이니 그 이야기를 해보겠다. 내가 분묘기지권을 매입하면서 낙찰 후에 추이를 살펴본 물건들 중에 일부를 소개하겠다. 난 남들이 묘지를 낙찰 받고 해결하지 못해 방치된 묘지를 매입하는 사업도 하고 있다. 이 사업을 하는 사람은 국내에서 내가 유일할 것이다.

묘지 경매를 시작한 지 4, 5개월 정도 되었을 무렵으로 기억한다.

내가 분석했을 때에 나쁘지 않은 물건이 4차까지 유찰이 되는 것이다. 이때는 수익을 맛보고 묘지 경매의 가능성을 본 후라 여기에 미쳐 있었다고 해도 과언이 아니다. 마음에 드는 물건을 찾으면 바로 차에 시동을 걸어 임장을 갔다. 그냥 앞만 보고 달렸다. 현장에 가보니 좀 으슥한 감이 있었지만 매우 저렴해서 입찰을 진행했고 낙찰 받았다.

경매 당일 유찰이 많이 된 탓이어서 그런지 나를 포함해서 세 명이 입찰했고 내가 낙찰 받았다. 낙찰 받을 때는 좋았다. 그러나 낙찰 후에 문제가 생겼다. 이때는 묘지 경매를 시작하고 400만 원이던 투자금이 좀 불어 3천만 원 정도를 투자할 수 있었다. 늘어난 투자금과 돈이 된다는 욕심에 무분별하게 낙찰을 받은 게 탈이었다. 보통 묘지 경매를 하며 1개월에서 1개월 반이면 수익 실현을 하니 그 타이밍을 예측해서 다음 물건을 낙찰 받아 사이클을 돌리고 있었는데, 초창기다 보니 한 물건을 생각했던 시기에 매도하지 못했다. 과유불급이라 했던가. 처리할 수 있는 범위를 넘어 낙찰을 받다 보니 낙찰 건의 잔금을 낼 여력이 없었다. 직장인이야 급할 때는 마이너스 통장이나 신용대출 등을 활용해서 급한 불을 끌 수 있지만 나는 그게 안 되었다. 사회초년생이고 제대로 된 직장도 없었기에 대출이 불가능했다. 온전히 내 투자금으로만 처리해야 했기에 눈물을 머금고 그 물건을 포기했다. 잔금을 낼 여력이 없어 입찰 보증금을 포기했다. 대출도 능력이라는 생각이 들면서 직장인이 부러웠다. 이때 더욱 뼈저리게 느꼈다. 매도 사이클을 잘 만들어야 한다는 것을.

자, 이번에는 분묘지기권을 매입하며 겪은 사례를 소개해 보겠다. 생각보다 많은 사람들이 묘지를 낙찰 받고 해결하지 못한다. 어느 날 어떤 사람이 묘지 경매 교육을 듣기 위해 문의 전화를 했다. 그러면서 정보를 찾아보니 물건을 많이들 못 팔던데 해결 방법을 알려주냐고 물었다. 먼저 첫 번째 예시를 보자.

여러분은 내가 했던 묘지의 사진을 보고 난 이후다. 이제 이 묘들이 어떻게 보이는가? 관리가 잘 된 묘가 좋다고 했다. 관리를 잘 하고

있다는 것은 후손들이 그만큼 애착이 있다는 의미이기 때문이다. 이런 묘도 경매 시장에서 누군가는 소화해 간다. 묘지의 특성상 다른 경매 물건에 비해 유찰이 많이 되어 저렴하기 때문이다. 경매를 해 본 사람들이라면 공감할 것이다. 아파트, 빌라, 상가, 다가구 등이 반값 이하로 떨어지는 물건은 흔치 않다. 반면에 묘지는 묘라는 이유로 경매 시장에서 소외 받는 경우가 많다. 누군가는 소화해 간다고 했는데 묘지 경매를 해 보았거나 잘 아는 사람이라면 이런 묘지는 받지 않을 것이다. 그러면 이 누군가는 도대체 누구냐? 묘지의 특성상 유찰이 많이 되면 저렴해 보인다. 감정가 대비 절반 이하로 떨어지니까 저렴해서 관심을 가지는 사람들이 생기기 마련이고 이들 가운데 몇몇이 입찰하여 소화하는 경우가 있다. 물론 이런 물건도 해결할 수 있다. 하지만 난 입찰하지 않는다. 내 기준에는 못 미치는 물건이기 때문이다.

다음은 두 번째 예시다. 이 사진은 어떤가?

육안으로는 문제가 없어 보인다. 이 물건은 좀 다른 관점의 실패 사례다. 공유지분 특성상 가족 중 한 명이 채무를 변제하지 못한 경우가 있고, 가족 중 여러 명이 채무를 변제하지 못한 경우도 있다. 그런 경우 경매로 각각 매각된다. 즉 경매로 물건이 두 번 나온다는 말이다. 이 물건은 처음에 투자자가 경매로 낙찰을 받았다. 그리고 나서는 매도하지 못한 상황에서 다른 가족의 지분이 또 경매로 나왔다. 아마 꽤 고민했을 것이다. 내가 해결하지 못한 상황에서 다른 투

경쟁 말고 독점하라

자자가 유입되는 것은 싫기 때문이다. 그래서 다음 경매 물건에서 본인이 우선 매수하여 지분을 가져갔다. 낙찰자와 친분이 없다 보니 무슨 연유로 다시 낙찰을 받았는지는 잘 모르겠으나 다른 사람이 유입되는 게 싫었던 게 가장 큰 이유일 것이다. 하지만 이번 낙찰로 인해 이 물건에 투입된 돈은 두 배가 되었다. 소송을 진행하거나 연고자와 잘 협상이 되어 물건을 매도하면 다행이지만 돈이 더 들어간 만큼 마음은 조급할 수밖에 없다. 이런 사례가 처음은 아니다.

어떤 사람은 공매로 물건을 낙찰 받고 1년 이상 해결하지 못하는 상황에서 그 지분이 경매로 매각이 되어 다시 우선 매수를 했는데, 복기해 보니 지분만 늘어났을 뿐 탈출을 하지 못하고 있었다. 실무에서는 묘지 경매를 낙찰 받고 성공한 사례보다 실패한 사례가 더 많다. 투자하기 전에 공부를 충분히 하지 않았기 때문이다. 여러분이 묘지 경매를 성공적으로 입찰하고 싶다면 내가 강조하는 부분들은 주의하기를 바란다.

조정기일에서 매도하기

지분 경매에서 협상이 안 되었을 때에 유일한 희망이자 탈출구는 공유물분할이다. 정확한 명칭은 '공유물분할 청구의 소'이다. 이 에피소드는 지인의 물건을 대리 소송했던 사건이다.

지인이 묘지 경매를 해보고 싶어하여 내가 물건 검색부터 임장까지 함께했다. 지인은 임장을 가서 이 물건을 보고 무척 마음에 든다고 했다. 그래서 지인에서 권했고 낙찰을 받았다. 묘의 기수는 적었지만 관리가 잘 되어 있었고 깔끔했다.

다만 협상 과정에서 공유자가 묵묵부답으로 일관하여 의중을 알기 힘들었다. 그러던 중에 공유자가 경남 김해에 철강 관련 제조업

을 하는 중소기업의 대표였고, 그 기업이 연 매출 200억 원 이상을 올린다는 사실을 알았다. 그래서 공유물분할 소장을 빨리 접수하자고 했다. 임장도 같이 갔던 물건이었기에 매도하지 못할 물건은 아니라고 판단했다. 소장이 접수되니 공유자는 바로 변호사를 선임했다. 지분 경매에서 공유물분할 소장을 접수하면 서로 주장하는 내용은 뻔하다. 원고는 토지를 경매로 매각하자는 현금 분할을 주장하고, 피고는 지분만큼 토지를 가져가라는 현물 분할을 주장한다. 피고 측 소송 대리인인 변호사가 보낸 답변서에는 뻔한 내용이 담겨 있었다. 공유물분할의 원칙은 현물 분할이라는 내용이었다.

공유물분할 소장을 접수하면 대개 두 가지 경우로 진행된다. 법원에서 조정기일을 잡아주는 경우와 서로 답변서를 통해 주장을 하다가 변론기일을 바로 잡는 경우이다. 조정기일은 일반적으로 법원에서 원고와 피고가 싸우지 말고 서로 조율해서 해결하라고 자리를 만드는 것이다. 원고와 피고, 조정위원이 참석하여 원고와 피고의 의견을 들어보는 자리다. 변론기일은 판사가 판결 전에 마지막으로 부르는 자리로, 원고와 피고가 각각 답변서와 준비서면을 어느 정도 주고받아 의견을 알게 된 상태에 진행된다.

이 물건은 조정기일이 잡혔고 원고와 피고 측 변호사가 참석했다. 지분 경매 조정기일에서 필수적으로 물어보는 질문은 서로에게 지분을 매입, 매도할 생각이 있는지다. 낙찰자는 물건을 빨리 팔고 싶은 생각이 클 것이다. 하지만 너무 쉽게 의중을 비추면 상대방은 내 의도대로 움직이지 않을 가능성이 커진다. 보통 지분 경매 낙찰자가 소송까지 가면 빨리 해결하고자 하는 마음이 앞서 의중을 들키는 경우가 많다. 그래서인지 피고 측은 거의 대부분 낙찰 받은 가격에는 가져갈 의사가 있다는 것이다. 한마디로 원가에 사겠다는 도둑놈 심보다. 원가에 팔 거였으면 소송도 안 하지 않았겠는가? 즉 난 변호사인데 소송을 계속할래, 아니면 원가에라도 넘기고 빠질래, 라고 우리에게 밀당을 시도하는 것이다.

먼저 조정위원이 원고와 피고에게 서로 원하는 바를 물어본다. 나는 절차대로 진행되기를 원한다고 했다. 피고 측 변호사는 처음 답

경쟁 말고 독점하라

변서에서 도로 쪽에 인접한 땅을 현물로 분할하여 주겠다고 했다. 이 말만 들으면 좋은 땅을 준다고 볼 수도 있지만 실상은 도로에만 가깝지 경사가 진 내리막길이었다. 누가 경사진 땅을 좋아하겠는가? 하지만 조정기일에서는 묘만 제외하고 원고가 원하는 토지가 어디든지 간에 현물 분할하여 주겠다는 것이다. 보통 이 다음 조정위원이 지분을 매도할 의사가 있는지 물어보는데 나는 일단 피고 측 의견을 들어보고 결정하겠다고 했고, 피고 측은 역시나 낙찰가 정도에는 살 의향이 있다고 했다.

이후에 원고와 피고가 각각 남아 조정위원과 이야기를 하는 시간을 가졌다. 조정위원은 낙찰가와 감정가를 물어보더니 감정가 정도에 팔 의향이 있냐고 했다. 사실 나라면 이 가격에도 팔지 않았을 테지만, 지인의 물건을 대리해주는 사건이었기에 내가 선택할 수 없었다. 그리고 여기까지 오는 동안 지인은 처음 하는 소송이다 보니 스트레스를 많이 받은 상태였다. 지인과는 조정기일 전에 이에 대해서 입을 맞추어 탈출 전략을 세운 상태라 조정위원에게 감정가 정도면 생각해 보겠다고 했다.

이제 피고 측 변호사와 일대일로 이야기를 하는데, 본인들은 감정가에도 살 의향이 없다면서 현물 분할을 원한다고 고집하였다. 그래서 나는 조정위원에게 절차대로 끝까지 가볼 생각에 더 이상 조정할 필요가 없을 것 같다고 강경하게 말했다. 조정위원이 감정가에서 200만 원 정도 양보하고 매도하면 어떠냐고 제안했고 지인은 그러자고 했다. 변호사도 의뢰인(공유자)에게 이를 전달하겠다고 했다.

피고 측 변호사는 공유자가 낙찰가에 가져오라고 오더를 내린 터라 이 가격을 고집했지만 이 정도면 괜찮은 제안이라고 생각했던 듯하다. 이렇게 조정기일이 잘 끝나면 법원에서는 조정을 갈음하는 판결문을 내린다. 피고가 원고의 지분을 얼마에 언제까지 매입하라는 판결문인데, 판결문 이후 2주간 이의제기가 없으면 판결문은 확정된다. 피고 측이 별다른 이의제기를 하지 않아 지인은 이대로 물건을 매도할 수 있었고 세후 400만 원이 조금 넘는 차익을 보았다. 고생한 것에 비해 큰 수익을 못 봐 걱정했는데 돈을 벌었다고 좋아하는 모습에 마음이 놓였다.

이렇게 조정기일에서 매도하는 방법이 가능하고, 실제로 조정기일에서 공유자를 만나 대화로 잘 해결하는 사람들도 많다. 공유물분할 소장을 접수했다고 걱정하기보다는 또 하나의 기회로 생각하면 좋겠다. 언제든지 한 번 더 칼을 휘두르면 반응은 오기 마련이니 말이다. 포기하지 않으면 기회는 꼭 찾아온다.

경매 취하로 수익 내기

경매는 알면 알수록 재미있다. 여러 방법으로 수익을 낼 수 있기 때문이다. 내가 다 알고 있다고 생각하지만 새로 배우는 방법은 늘 있다. 묘지 경매를 하며 복등기로 수익을 내는가 하면, 잔금을 납부하기 전에 연고자에게 연락이 와서 경매 취하에 동의하는 조건으로 수익을 내기도 한다.

복등기란 동시에 2건의 등기가 순차적으로 들어가는 것이다. 경매 물건이 낙찰된 후 소유권을 가져오기 전에 협상이 마무리되어 낙찰 받은 소유권의 등기가 나는 즉시 상대방(매수자)에게 등기가 이전되는 등기 방식이다. 이 방법은 운이 따라야 한다. 우연치 않게 연락을 받는 경우이기 때문이다.

처음에 이 방법으로 수익을 냈을 때는 어리바리했다. 내 사전에 입력되지 않은 방법이었기 때문이다. 보통 이 경우는 공유자 또는 채무자가 법원에 가서 사건 기록을 열람하고 우리 정보를 알아낸 다음에 연락을 해오는 식이다. 이렇게 먼저 연락을 한다는 것은 이미 이들도 낙찰을 생각하고 있었고 준비까지 한 경우라고 생각하면 된다. 피치 못하게 입찰에 참여하지 못한 경우가 있는데, 강제경매의 경우 낙찰자의 동의가 있어야 채권자가 경매 취하가 가능하다. 취하하기 위해 채권자와 연락을 해야 한다. 즉 채권 금액(갚을 금액)이 많지 않아야 한다는 말이다. 경매로 매각되는 부동산이 500만 원이고 채권은 1억인데 1억 원을 갚으면서 경매를 취하하는 사람은 없기 때문이다. 다시 말해 이런 방법은 채권 금액이 적은 경우에 가능하다.

내가 8월경 낙찰을 받고 잔금 납부를 기다리던 때에 가족과 대전에서 호캉스를 즐기고 있었다. 묘지 연고자의 대표라는 사람에게 전화가 왔다. 자기들이 입찰을 하려고 기다리고 있었는데 일자를 깜빡해서 입찰에 참여하지 못했다고 했다. 마침 채권 금액이 적어 경매를 취하하며 수익을 내는 방향으로 말했다. 그리고 이틀 뒤 만나서 경매를 취하하는 조건으로 400만 원을 받았다. 낙찰자가 경매 취하를 하려면 경매취하동의서를 작성해야 하고, 낙찰자의 인감증명

경쟁 말고 독점하라

서를 첨부해야 한다. 이 서류를 주면서 취하금을 받는다고 생각하면 된다. 입찰만 하고 아무것도 하지 않은 채 일주일 만에 400만 원의 수익이면 나쁘지 않다.

그럼 입찰 시 납부했던 보증금은 어떻게 되느냐? 경매 사건이 취하되었기에 환급받을 수 있다. 즉 보증금도 돌려받고 수익까지 내는 꿩 먹고 알 먹기다. 채권자가 경매 취하 서류를 내고 경매 진행 상황에 대해 말소 등기가 완료되면 보증금을 돌려준다. 경매계에서 보증금을 찾아가라고 전화를 하는 곳도 있지만, 그렇지 않은 곳도 있으므로 직접 확인해보고 가는 것이 좋다. 취하된 사건의 보증금을 찾을 때에는 신분증과 도장만 챙겨가면 된다. 취하에 동의하는 조건으로 얼마를 받아야 하는지는 정해져 있지 않다. 사람과 사람이 하는 일이기에 결국 협상하기 나름이다. 나는 경매를 취하하는 조건이면 최소 300만 원 정도는 생각한다. 왜냐하면 내가 잔금을 납부하면 상대방이 이 가격에는 절대로 가져가지 못하기 때문이다. 사실 이들 입장에서는 300만 원으로 묘지를 지킨 것이니 다행이지 않을까? 부회장 묘처럼 내가 가져갔는데 버티면 그들에게 좋은 일은 없을 것이기에.

눈에 띄는 빨간 현수막

나는 현수막이 유용하고 효과가 좋아 애용한다. 앞에서 보았듯이 법정지상권 물건을 낙찰 받은 후에 해당 집의 담벼락에 현수막을 부착하거나 낙찰 받은 상가가 공실일 때에 현수막을 부착하고 임대를 맞추기도 했다. 하지만 묘지는 현수막의 용도가 제한적이다. 묘지를 낙찰 받고 현수막을 건다는 것은 무언의 심리적인 압박을 하고 싶어서이다. 현수막에서 가장 중요한 것은 노출로 얼마나 많은 사람이 잘 볼 수 있는가이다. 독자 여러분은 가족이나 선조의 묘를 자주 찾아가는가? 묘는 명절에나 성묘하러 가고 그 외에는 찾는 사람이 드물다. 현수막은 많은 사람에게 노출될수록 좋은데 내가 낙찰 받고

경쟁 말고 독점하라

현수막을 걸어도 찾아오는 사람이 없으면 다음 명절까지 현수막이 그대로 방치될 수밖에 있다. 그래서 묘지 경매에서는 현수막의 용도가 제한적이라고 한 것이다.

나는 남들이 경매 시장에서 낙찰 받고 해결하지 못한 묘지를 매입하는 분묘기지권을 매입하는데, 이 업무를 할 때면 가급적 임장을 가서 현장을 확인한 후에 결정한다. 2021년 6월 매입 의뢰를 받고 임장을 갔다. 2020년 1월에 낙찰을 받고 1년 반 동안 매도하지 못했다. 현장을 방문해 보니 이 분이 부착해둔 현수막이 3번의 명절이 지나는 동안 방치되어 있었다.

묘지에 현수막을 부착할 때에는 부착 시기가 중요하다. 추천하는 현수막 부착 시기는 명절을 한 주 앞둔 시기이다. 명절 전에 현수막을 부착하면 묘지 연고자들이 성묘를 와서 볼 수 있다. 여러분은 가

족의 묘에 현수막이 붙어 있으면 기분이 어떨 것 같은가? 당연히 기분이 좋지 않을 것이다. 이 점을 노리는 거지만 그렇기에 현수막을 무작정 붙이면 안 된다. 협상을 아직 시작하지 않았거나 협상이 무난하게 진행되고 있는 상황에서 현수막을 붙이면 되레 역효과가 나기 때문이다.

협상이 생각처럼 진행되지 않을 때에 현수막 부착을 고려할 수 있다. 이때는 어느 정도 압박이 중요하기에 경고성이 담긴 현수막을 붙일 수 있다. 현수막의 색깔도 중요하다. 빨간 배경에 눈에 띄는 노란색 글씨로 만들면 한눈에 압도할 수 있다. 기억하기 바란다. 이것이 내가 생각하는 압박용 현수막의 기본이다.

누군데 남의 집을
들락날락해?

이 일을 하면 묘지를 다니는 일이 다반사이고, 좁은 시골에 외지인으로 가야 한다. 이런 경우 마을 사람들이 이상하게 보거나 뭐라고 하지 않는지 물어보는 이들이 있다. 그런 일은 대부분 없지만 황당하고 재미있었던 일이 있었다.

경상도 쪽에 임장을 갔을 때이다. 간혹 시골집의 뒤편에 묘가 있는 경우가 있는데 이 물건이 그런 케이스였다. 차를 주차하고 길을 찾기 위해 두리번거리다가 물건을 보고 나오는 길이었는데 물건지 바로 앞에 있는 집 마당에 한 아주머니가 계시는 것이다. 느낌이 좋지 않아 모른 채 지나가려고 했으나 다짜고짜 내 뒤통수에 대고 "누군데 남의 집을 들락날락해?" 하며 언성을 높이고 화를 내시는 것이다. 가급적이면 임장 온 사실을 들키지 않는 게 좋을 듯해(혹시 묘지 연고자와 아는 사이일 수도 있으니 말이다) "선생님, 왜 그러십니까? 제가 선생님 댁을 들어간 것도 아니고, 부동산 매물이 나와서 잠시 보고 나온 길입니다."라고 하니 어디를 보고 왔는지 꼬치꼬치 캐물었다. 임기응변으로 대처할 수도 있었으나 그 길을 통해 갈 수 있는 곳은 묘지밖에 없었다. 왜 그러시냐고 반문을 하니 더욱 화를 내며 나를 주거침입으로 신고하겠다는 것이다. 황당하기도 하고 자꾸 화를 내니 나도 좋은 말이 나오지 않을 것 같아 황급히 자리를 마무리하며 돌아왔다.

와서 보니 아무리 생각해도 이상한 것이다. 이제까지 묘지를 하며 이런 경우는 처음이라 이상한 마음에 그 집의 등기부등본을 열람해 보았다. 공유자였던 것이다. 경매가 진행되고 있다는 사실만으로도 화가 날 텐데 낯선 이가 대뜸 묘지를 보러 오니 불난 집에 부채질을 한 격이 된 것이다. 이 물건은 경매 물건이었다. 내가 금요일에 임장을 갔고 입찰일은 그 다음 주 월요일이었다. 외지인이 묘지를 보러 왔다 간 사실을 알고 있어서 입찰 당일 공유자 우선 매수를 할 수도 있을 것 같아 고민했다. 그럼에도 불구하고 물건이 너무 좋아 포기할 수가 없어 법원으로 출발했다. 그들은 법원에 나타나지 않았고 결국 내가 낙찰을 받았다. 내가 왔다 간 것을 알면서도 왜 그들은 오지 않았을까? 그리고 나는 이 물건을 해결하지 못했을까?

쓰라린 첫 패찰

묘지 경매를 하면서 내가 원하는 물건의 묘지들은 다 가져왔다. 마음에 들었던 묘지들은 모두 낙찰을 받았다는 말이다. 그런데 묘지를 하며 처음 패찰한 적이 있다. 이는 내가 묘지 경매를 시작한 지 1년 6개월 만에 처음 맛본 패찰이었다. 묘지 분야에서 첫 패찰이라 꽤 충격이었다.

감정가 대비 50%로 유찰되었던 물건으로 세 명이 입찰했다. 내가 입찰한 물건 차례가 되어 내가 받을 것이라고 생각하고 보증금 영수증에 도장을 찍으려고 도장을 꺼냈는데 내 이름이 아닌 다른 사람의 이름이 불렸다. 한 법인이 낙찰 받았고 난 2등을 했다. 첫 패찰이라

당황했다. 당연히 내 물건일 것이라고 생각했지만 경쟁자가 있다고 생각하니 당황할 수밖에 없었다. 왜냐하면 그 사람이 쓴 입찰가는 자신이 없으면 쓰기 힘든 가격이었기 때문이다. 그래서 더욱 궁금했다. 어떻게 풀어나갈지 말이다.

이 물건이 마음에 들었던 것은 한 달이면 처리가 가능할 것이라 생각했기 때문이다. 그래서 더욱 이 사람이 어떻게 처리하는지 복기를 했다. 안타깝게도 몇 달이 지나도록 이 물건을 해결하지 못했다. 2년이 지난 지금까지도 말이다. 아마 소송을 진행하고 있는 듯하다. 물론 내가 한 달짜리 물건이라 생각했지만 나도 협상을 하는 도중에 변수를 만나 해결에 어려움을 느꼈을 수도 있다. 하지만 난 지금 생각해도 이 물건은 한 달이면 충분하다고 생각한다. 어떤 물건이든지 누가 포장하고 어떻게 처리하느냐에 따라 달라진다. 이 물건이 내 첫 패찰 물건이기도 하지만 좋은 수익이 될 만한 물건이었기에 더욱 아쉬움이 남는다.

여담으로 이 물건이 낙찰된 법인의 이름을 떠올리다 보니 최근 경매 물건을 검색하면서 반가운 이름이 보였다. 이 사람은 나처럼 묘지를 낙찰 받고 있었다. 그런데 낙찰을 받고 해결이 안 되어 공유물 소송을 진행하여 판결 후에 경매로 물건이 나오게 된 것이다. 벌써 이렇게 나온 것을 3번이나 보았다. 앞에서 말했지만 공유물 분할 시에는 묘지가 없는 게 좋다. 그게 고수와 하수의 차이라고.

누누이 말한다. 일을 벌이는 것만이 능사가 아니다. 투자를 하는 목적은 확실한 수익을 내기 위해서라는 것을 잊지 말기를 바란다. 만약 내가 자신이 없다면 입찰가라도 보수적으로 써야 부담이 적어진다.

기억에 남는 채무자

술만 먹으면 전화하는 채무자

이 채무자는 60대 초반의 장녀였다. 내용 증명을 보고 채무자에게 전화가 왔다. 본인 집(친정)에 내용 증명이 왔다면서 대뜸 이게 뭐냐고 했다. 그러면서 본인은 파산신청을 했는데 이게 왜 경매로 넘어왔는지 물었다. 법무사가 파산신청해서 끝났다고 했는데 왜 넘어왔는지 그것만 자꾸 묻는 것이다. 그걸 법무사에게 물어봐야지 왜 나에게 물어보는 것인가? 그래서 법무사에 확인하라고 했더니 알아보고 전화하겠다 했다. 다음 날 또 전화가 왔다. 본인은 파산신청을 했는데 왜 그게 경매로 나왔는지 어제와 같은 질문을 하는 것이다. 잘 들어보니 술에 취한 목소리였다. 나중에 본인이 말하기를 조울증, 우울증 등 정신질환을 앓고 있어서 매일 술로 하루를 보낸다고 했다. 적지 않은 나이에 그렇게 지내는 걸 보니 안타까웠다. 나는 이 땅을 매도해야 하는데 이 사람은 그럴 여력이 없어 보였다. 그래서 혼자 해결하기보다 가족과 상의를 하고 연락을 달라고 했다. 하지만 가족(형제들)은 본인이 저지른 일이니 알아서 수습하라고 했다는 것이다. 충분히 이해한다. 우애가 좋은 형제도 있지만 본인 삶이 팍팍해서 남보다 못하게 지내는 형제도 있다. 더군다나 정신질환이 있고 알콜에 의존해서 사는 형제가 있다면 모른 척하는 것도 이해가 된다. 그래도 이 물건은 안타까운 케이스이다. 공유자가 채무자에게 떠넘기지 않고 나에게 연락을 했다면 묘를 지킬 수 있었을 테니 말이다.

이들의 묘지는 제법 관리되고 있었고 최근에 돌아가신 분도 계셨다. 나는 이 묘들을 이장하고 있다. 아마 이 책이 출간되었을 즈음에는 이미 이장이 되고 난 이후일 수도 있겠다. 누누이 말하지만 나도 도의적으로 묘는 지킬 수 있도록 돕고 싶다. 하지만 뻔뻔하게 나온다면 응당 그에 대한 대가를 치러야 한다고 생각한다.

장손인데 살려 주십시오.

일요일 교육을 마치고 휴대전화를 보니 부재중 전화가 찍혀 있길

경쟁 말고 독점하라

래 전화를 걸었다.

"도강민 대표님 되십니까?"

"누구시죠?"

"저는 울산의 ○○○입니다. 대표님 회사에서 저희 집 땅을 낙찰 받으셨던데 좀 살려 주십시오."

"살려 달라고요? 그게 무슨 말이시죠?"

이 물건의 채무자가 연락을 한 것이다. 아직 협상할 생각이 없어서 낙찰 후에 잔금 납부 시기를 기다리고 있던 물건이었는데 집안 어른들이 본인에게 전화가 오고 난리가 났다고 한다. 그러더니 얼마에 낙찰되었는지 묻는 것이다. 이 물건은 1천만 원 좀 안 되게 낙찰 받았다. 이를 말하니 거기가 그렇게 비싼지 되묻는 것이다.

이야기를 들어보니 세종시의 옆에 있는 공주에서 사업을 하다가 신용보증재단에서 돈을 빌렸는데 일이 잘못되어 이 땅이 나오게 되었다 한다. 본인이 할 수 있는 금액이면 어떻게 협의해 보려 했던 듯하다. 하지만 이 땅이 비싼 것을 몰랐는지 놀라며 가족과 상의하고 연락을 주겠다 하여 그러라고 했다. 며칠이 지나 전화가 왔다.

"선생님, 살려만 주십시오. 선처를 해주시면 제가 당장이라도 찾아뵙고 무릎이라도 꿇고 빌고 싶습니다."

이런저런 이야기가 오갔는데 사정이 딱해 보였다. 고민 끝에 마침 채권 금액이 적어서 경매 취하 쪽으로 방향을 잡고 방안을 제시했다. 그랬더니 고맙다면서 당장 찾아오겠다고 하길래, 나도 서류를 준비해야 하니 이틀 뒤에 만나기로 했다. 이틀 뒤 한 카페에서 그를 만났다. 연배가 있으셨다. 앞으로 어떻게 해야 할지 방법을 안내하고 잘 마무리했다. 아마 형제들이 돈을 모아 일을 마무리한 듯 보였다.

이런 경우에 난 집안 조상들이 이들을 도왔다고 생각한다. 내가 잔금을 납부했으면 이 가격에는 해결하지 못했거니와 조상들도 본인 집을 지키고 싶어서 그런 것이 아니었을까. 그래도 손 안 대고 코 풀었으니 나쁘지 않은 결과였다. 묘지를 하다 보니 참 다양한 일을 겪는다. 세상에는 참 많은 사연이 있다.

허위 공유자
우선 매수를 조심하라

경매 정보지를 보다 보면 빨간 글씨로 '공유자 우선 매수'라고 적힌 물건들이 있다. 원 소유자인 공유자가 다음 입찰기일에 갈 것이니 오지 말라고 일종의 경고를 한 것이다. 대부분의 사람은 어차피 낙찰되더라도 공유자에게 우선 매수할 권리를 주니 공유자 우선 매수 신고서가 접수된 물건은 포기하고 법원에 가지 않는다. 하지만 난 그럼에도 불구하고 간다. 왜냐하면 공유자가 우선 매수 신고서를 제출하고 간혹 오지 않는 경우도 있기 때문이다. 그러면 기회는 나에게 온다. 그래도 헛걸음할 가능성이 크지 않냐고? 기회는 그냥 오지 않는다. 내가 만들어야 비로소 그 기회가 날 찾아오는 법이다.

이번에도 눈여겨보던 물건에 공유자 우선 매수 신고서가 접수되었다. 그래서 법원에서 입찰을 하고 차례를 기다렸다. 경매법정 앞에는 오늘 매각하는 물건들의 순서와 매각 물건에 대한 짤막한 명세서가 항상 붙어 있다. 그런데 내가 입찰한 두 건의 물건 옆에 대문짝만하게 뭔가가 써 있었다. '제3의 불상의 인물이 공유자 우선 매수신고서를 허위로 접수함이 의심되므로 수사기관에 의뢰 예정'이라고 말이다. 그렇다. 누군가가 공유자 우선 매수 신고서를 법원에 허위로 제출한 것이다. 어떻게 이게 가능하냐고? 법원에서는 서류가 도착하면 일단 접수를 한다. 경매 사건에 서류가 접수되면 경매 정보지에 이 사실이 등재된다. 아마 이들은 우선 매수 신고서가 들어오면 다른 사람들이 오지 않는다는 것을 악용한 것이라고 생각했다. 이 문구를 보는 순간 오늘 제3의 불상의 인물을 만날 수 있겠다고 직감했다. 공유자 우선 매수 신고서가 들어오면 대부분의 사람이 헛걸음하기 싫어서 입찰기일에 가지 않기에 금일 입찰을 하지 않았을까 하고 생각한 것이다.

내 물건의 매각 순서가 마지막 즈음이라 기다렸다. 판사가 내 이름을 먼저 호명한다. 내가 낙찰된 것이다. 그 다음 역시 누군가 입찰했다. 대구에 거주하는 30대 중후반으로 보이는 남자였다. 주의 깊게 보니 본인이 낙찰되지 않자 짧은 시간이지만 당황한 기색을 보였다. 의심이 갔다. 그 후 바로 또 다음 물건을 매각했다. 또 내가 낙찰되었다. 아까 그 남자도 동일하게 입찰을 했다. 내가 들어간 2건에 공유자 우선 매수신고서가 허위로 접수되고, 그 남성이 함께 입찰한 게 과연 우연일까? 아파트나 상가도 아닌 묘지에 말이다. 보증금 영수증을 받기 위해 기다리며 경매 계장님에게 공유자 우선 매수신고서가 접수되었는데 무엇 때문에 허위로 의심을 하는 것이냐고 물어보니 우선 매수신고서는 정상적으로 들어왔는데 보증금 납부가 되지 않았다고 했다.

공유자가 실제로 우선 매수권을 행사하려면 보증금을 납부해야 하는데 두 물건 모두 그렇게 하지 않았고 등기로 우선 매수 신고서가 접수되었는데 공교롭게도 두 건의 등기가 도착한 일자가 같았다. 적지 않은 수의 지분 경매를 했음에도 이런 케이스는 처음 봤다.

경매 시장에는 작업 세력이 많다. 꾼들이 모여 초보를 속이는 건 일도 아닌 세상이고, 자기가 아는 것을 이용해서 작업을 하는 이들도 많다. 나는 이것도 작업의 일종이라고 생각한다. 어떻게 보면 역발상을 한 듯하여 기발하기는 했으나 꼬리가 길면 잡히는 법이다. 낙찰의 기쁨을 즐기고자 본인의 신변에 위협을 가하며 외줄 타기를 하는 불상의 그가 안타깝게 느껴졌다. 물론 그는 노력했지만 내가 두 건의 물건을 다 가져가서 미안하기도 했다. 뛰는 놈이 있으면 그 위에 나는 놈이 있는 법 아니겠는가? 기회는 그냥 만들어지는 것이 아니다. 마음에 드는 물건이라면 신경 쓰지 말고 찾아가 보라. 남들이 하지 않는 것을 해야 진짜 돈을 벌 수 있다.

벤츠 S클래스를 타고 온 사람

경매를 진행하면서 공유자를 만나지만 그 사람의 직업은 알 수가 없다. 하지만 이 일을 업으로 하다 보니 전화번호를 보면 그 사람의 성향이나 직업을 가늠할 수는 있다. 대표적으로 전화번호 끝자리가 00으로 끝나는 번호들인데, 이런 번호들은 통상 어떤 기관의 장이나 대표가 선호한다. 또, 뒷자리가 0으로 끝나는 번호는 사업을 하는 사람들이 많다.

아직도 기억에 남는 게 가족과 대전에서 식사를 하고 있었는데 010-××××-00000이라고 찍힌 전화가 왔다. 전화를 받았더니 묘지의 공유자였다. 이 물건은 서해안에 위치한 한 시골의 물건이다. 공매로 400만 원대에 낙찰을 받고 내용 증명을 보냈는데 전화가 왔다. 이 번호를 보고 처음에는 내 눈을 의심했다. 뒷번호를 하나로 맞추는 것을 일명 골드 번호라고 하는데, 7777, 8888 이런 번호를 구매하는 것은 보았으나 00000이라는 번호가 실제 있는지는 처음 알았다. 스팸 전화인 줄 알았다.

공유자는 내용 증명을 받았다면서 왜 벌써 가져갔느냐, 자기들도 200만 원까지 떨어지면 낙찰을 받으려고 했는데 왜 벌써 낙찰을 받았냐는 것이다. 나는 공유자에게 전화가 오면 대부분 상냥하게 받으려고 노력한다. 하지만 이 분은 전화를 할 때부터 이미 목소리에

화가 있는 상태였고, 어디서 들었는지 경매에 관해 어쭙잖게 이야기하는 것이다. 그때부터 약간의 언쟁을 했는데 대뜸 "나중에 내가 누군지 알면 깜짝 놀랄 텐데."라는 것이다. 난 대꾸도 하지 않고 할 말만 했다. 자기가 누구든지 나와 무슨 상관인가? 뛰어난 사람은 본인이 말하지 않아도 주위에서 알아주지만, 본인이 스스로 뛰어나다고 느끼는 사람은 누군가에게 대접을 받고 싶어한다. 조금 기분이 상했는지 알아서 해보라는 식으로 이야기하더니 전화를 끊었다. 여러분은 알아서 하라는 말을 들으면 어떻게 하겠는가? 이 땅을 매도해야 하는데 협상이 결렬되었으니 매도하지 못할 것 같은가? 사실 난 이 말을 듣고도 별로 대수롭지 않게 여겼다.

통화를 할 때에 목소리가 젊어 보여서인지 본인들의 의견이 피력되지 않으면 능력이 있거나 어느 정도의 위치에 있는 사람들은 꽤 자존심을 상해 한다. 그리고 으레 한번 해 볼 테면 해 봐라는 말을 종종 한다. 직장인이 회사에 출근하듯이 묘지를 낙찰 받고 매도하는데 이런 말을 한두 번 들었겠는가? 시골에서 꽤나 돈 있는 사람이겠거니 생각하며 전화를 끊고 다음 절차를 진행하기 위해 준비를 했다. 그러다가 문득 누구길래 그렇게 큰소리를 치는 건가 싶어 인터넷에 이름을 검색했다. 이름을 검색하니 '김○○ 갑오징어'라는 스마트 스토어를 찾을 수 있었고 홈쇼핑에서도 본인 제품을 판매하고 있었다. 더 알아보니 물건지 인근에서 꽤 큰 공장을 운영하면서 어업을 함께 하는 듯했다. 시골에서 자란 사람이라면 공감할 것이다. 마을 자체가 크지 않아 집안 사정을 다 안다. 속된말로 밥숟가락이 몇 개인지 안다고 하잖는가. 이런 시골에서 공장을 운영할 정도의 규모로 사업을 하면 어깨에 힘이 들어갈 수밖에 없는 일이다. 쉽게 말해 그 지역의 유지라고 볼 수 있다. 이 공유자와는 그 통화가 처음이자 마지막이었다.

경쟁 말고 독점하라

나는 굳이 아쉬운 소리를 하지 않는다. 이 일을 하는 목적은 재미와 금전적인 여유를 추구하기 위함인데 아쉬운 소리를 한다면 멋이 안 나지 않겠는가? 보통 여러 건의 물건을 동시에 진행하기 때문에 이 일을 잠시 잊고 가족과 제주도 여행을 갔을 때였다. 모르는 번호로 전화가 왔다. 처음에 통화했던 공유자의 사촌 형이었다. 큰아버지가 내용 증명을 보고 뒷목을 잡았다고 한다. 자기 사촌 동생(처음 통화했던 공유자)이 본인이 해결하겠다고 해서 지켜보았는데 일이 해결은 안 되고 악화만 되는 듯하여 나에게 전화를 했다는 것이다. 앞에서 말했지만 공유자가 가장 신경 쓰는 부분은 가격이다. 싸게 사고 싶은 자와 비싸게 팔고 싶은 자가 줄다리기하는데, 이 연고자는 호탕했다. 두 차례 더 통화한 후에 바로 약속을 잡았다.

이 물건이 기억에 남는 이유가 있다. 임장 갈 때와 낙찰을 받을 때는 예전 차량인 싼타페를 타고 갔는데, 매도할 때는 내 첫 수입차인 벤츠를 타고 갔다. 이 물건은 매도일을 확인해보니 40일가량 걸렸고 낙찰일과 매도일 사이에 차가 바뀌었으니 기억에 남을 수밖에 없다.

매도하러 가면 공유자와 무슨 이야기를 할까? 별별 이야기를 다 한다. 본인이 하는 일에 대해 말하는 사람도 있고, 물건이 어떻게 하다가 경매로 넘어갔는지 집안 사정을 이야기하는 사람도 있다. 이 물건의 매수자는 한눈에 보아도 체격이 좋았다. 유명한 고가의 골프웨어를 입고 굵직한 금붙이를 하고 있었다. 자기 사촌 동생이 일은 좀 크게 하는데 항상 덜렁대는 성격이라 지켜보다가 연락을 취했다고 말하면서 본인에 대해 부연 설명을 했다. 이 분도 동일하게 어업을 하면서 배를 만들어 파는, 규모가 있는 사업체를 운영하고 있었다.

매수자 중에는 내가 투자를 잘하게 보이는지 좋은 물건이나 투자처가 있으면 알려달라고 종종 말하곤 한다. 이 분도 여동생이 대전에 거주하고 있어서 세종과 대전에 관심이 많다고 했다. 대전의 재개발 지구에 투자를 했는데 괜찮은지, 추가로 투자를 해도 될지 물어보았다. 이때가 2020년 대전 상승장이 초반부를 살짝 지날 때였지만 내가 생각하기에는 아직 상승할 만한 여력이 많이 있었다. 좋은 재개발 구역에 투자를 해서 걱정할 게 없다, 투자를 더 해도 단기간에 성과를 볼 수 있을 것이라고 말했다. 이런저런 이야기를 하고 계약서를 마무리한 다음 인사를 하고 가려는데 같은 곳에 주차를 한 것이다. 매수자인 그가 타고 온 차가 벤츠의 S클래스 S560이었다. 그것을 본 순간 망치로 머리를 한 대 맞은 듯한 느낌이었다. 이런 시골에도 역시 돈 많은 사람들이 있구나, 겸손해야겠다는 생각이 들었다.

내가 경험한 바로는 효심이 깊은 후손이 잘된다. 이 분도 그런 케이스였다. 내가 낙찰 받은 토지에 할머니 묘가 있는데, 힘든 일이 있거나 고민이 있을 때에 떡이라도 사 들고 산소를 찾아뵈면 마음이 그렇게 편하고 하는 일이 잘 된다고 했다. 미신적인 관점이고 이 사람의 말이라 전적으로 믿을 수는 없지만 내가 만나본 바로는 효심이 깊은 후손들은 그 집에서 가장 여유 있는 사람들이었다.

경쟁 말고 독점하라

4장

묘지 경매
성공 법칙 7가지

딱 6개월만 미쳐라

사람들은 과정과 결과 중에서 결과만 중요시한다. 그 결과에 도달하기까지 어떠한 과정과 노력이 있었는지는 생각하지 않는다. 경매 노마드라는 사람이 20대의 나이에 묘지 경매를 해서 성공하고 좋은 차를 사고, 아버지에게 벤츠를 선물하고, 건물주가 되어 월세를 받는다는 결과론적인 것에만 집중하지 내가 이 자리에 오기까지 얼마나 많은 묘지를 임장 다니고 협상하며 해결했는지는 크게 관심이 없다.

나는 전업투자자로서 매도 사이클을 만들기 위해 많이 노력했다. 누누이 말하지만 난 내가 가는 길을 가이드해 주는 사람이 없어서 가장 힘들었다. 요즘은 유튜브 등 양질의 정보가 많지만 내가 시작할 때에는 그런 정보가 전무하여 맨땅에 헤딩하는 심정으로 묘지를 택한 것이다. 다시 그때로 돌아가도 똑같은 선택을 할 건지 묻는다면 그렇다고 답하겠지만 선택하기까지 많이 고민할 것이다. 그렇게 주야장천 묘지만 파다 보니 묘지에 대해서는 모르는 사례가 없을 만큼 경지에 도달했다.

묘지도 물건마다 사례가 다르다. 수강생들이 질문하는 사례들의 묘지는 내가 이미 해보았거나 분석했던 물건이기에 해도 된다 또는 하지 말라고 명확하게 피드백을 해줄 수 있다. 이것이 입문자의 입장에서는 엄청난 도움이 된다고 생각한다. 물론 본인이 하나하나 부딪히며 터득할 수도 있다. 내가 그래왔듯이 말이다. 하지만 빨리 갈 수 있는 지름길을 두고 굳이 돌아갈 필요는 없지 않은가?

6개월이라는 시간은 길다면 길고 짧다면 짧은 시간이다. 6개월 정도 투자하여 삶을 송두리째 바꿀 수 있다면 이를 해보기 전에는 아무것도 알 수 없기 때문이다. 나 역시 묘지 경매를 고민하면서 이 선택으로 인해 내 삶이 이렇게 변할 줄 몰랐다. 설령 나처럼 되지 않더라도 여러분의 삶이 조금이나마 변화할 수 있다면 절대로 손해 보는 장사는 아니라고 생각한다.

묘지 경매에서 가장 중요한 것이 매도 사이클을 만드는 것이다. 일회성이 아닌 꾸준히 팔 수 있는 사이클 말이다. 투자를 하는 목적

경쟁 말고 독점하라

은 결국 수익을 내기 위함이다. 하지만 이 수익이 일시적이어서는 안 된다. 꾸준한 수익을 만드는 게 핵심이다. (꾸준한 수익이 있어야 전업 투자도 고민해 볼 수 있다.) 월급처럼 꾸준한 제2의 수익이 창출되는 사이클을 만들려면 최소 6개월은 투자를 해봐야 한다. 본인이 묘지를 낙찰 받고 매도를 해 보아야 알 수 있다.

나는 묘지를 낙찰 받아 보통 1개월 혹은 1개월 반 이내에 매도를 한다. 내 경우는 이렇지만 투자를 하는 사람의 성향과 처리하는 스타일에 따라 매도 기간에 차이가 있을 수밖에 없다. 나를 가장 잘 아는 것은 본인이다. 묘지 경매를 6개월 정도 하다 보면 매도 사이클을 위한 주기를 대략 알 수 있다. 주기를 알게 되면 지금쯤 낙찰을 받아야겠다는 감이 잡히면서 이로 인해 수익의 공백이 발생하지 않는 꾸준한 매도 사이클을 만들 수 있게 되는 것이다. 이 사이클을 만들면 월세를 받는 것처럼 매달 매도 수익이 들어게 된다.

두 번째 이유는 보상의 수레는 하루아침에 찾아오지 않는다는 것이다. 이 책을 통해 여러분에게 소액으로 투자할 수 있는 하나의 방법을 알려주었다. 이 방법을 가지고 누군가는 1~2개월을, 누군가는 6개월을, 누군가는 1년을 노력할 것이다. 인간은 쉽게 열정이 타오르고 쉽게 가라앉게 세팅이 되어 있다. 유튜브나 자기계발 도서 등을 보면 열정은 쉽게 타오르지만 그 열정이 오래가지 않아 부자보다 부자가 아닌 사람들이 더 많은 것이다. 1~2개월의 단기간으로 보상의 수레가 쉽게 찾아온다면 이 세상 대부분의 사람은 부자가 되었을 것이다. 신은 우리의 노력을 테스트하고자 인내심이 있는 사람들에게만 보상을 준다.

실제로 수강생 중에서도 조금 해보고 나한테 맞지 않다, 쉽지 않다는 이유로 1개월을 하고 포기하는 사람들이 적지 않다. 쉬우면 묘지 경매라는 시장은 훨씬 더 일찍 오픈되었을 것이다. 쉽지 않기에 아직도 기회가 있는 것이다. 보상의 수레는 늘 느리게 돌고, 힘을 받는 데 시간이 걸리는 법이다. 그러니 최소 6개월은 여기에 미쳐보고 그때 포기해도 늦지 않는다. 나 역시 묘지 경매를 시작하기 전에 1년 동안은 공부만 하며 내 길을 찾는 데 시간을 썼다. 묘지 경매에 입문한 뒤에는 일주일 중에 4, 5일은 묘지에 임장을 다녔고, 낙찰을 받은 다음에는 내 피 같은 돈이 여기에 모두 들어갔기에 불안하여 낙찰 받은 현장을 세 번이나 더 갔다. 이 정도로 미쳐야 여러분에게도 새로운 길이 열릴 것이다.

배웠으면 써먹어라

나와 같은 물건을 입찰한 사람들이 어떻게 해결하는 건가요, 왜 낙찰 받았나요, 많이 해보았나요, 등 이것저것 물어보는 일은 일상다반사다. 이들에게는 묘지를 낙찰 받는 사람이 신기해 보이기 때문이다. 이런 말을 들으면 난 되묻는다. "왜 입찰했나요?" 이들의 답변을 들어보면 답답하고 안타까운 마음이 든다. 내가 해줄 수 있는 최대한의 배려로 답을 해준다. 물론 수강생과의 형평성을 맞추면서 말이다.

나는 개인적으로 공부하지 않고 무엇인가를 얻으려는 사람을 싫어한다. 세상에 배움과 경험 없이 얻을 수 있는 것은 거의 없다. 운이 좋아 요행으로 한두 번 성공할 수는 있지만 내 경험이 바탕에 깔리지 않으면 사상누각일 뿐이다. 물론 내가 정답은 아니다. 난 그저 여러분이 가는 길을 비추는 등대일 뿐이다.

"왜 돈 버는 방법을 알려주나요?" "그러면 대표님이 힘들어지는 거 아니에요?"라는 말을 많이 듣는데 맞는 말이다. 그런데 나 혼자서 욕심낼 수는 없는 일이다. 경매에 입문한 첫 해에는 임장도 많이 가고 정말 열정적으로 경매를 했다. 일주일에 기름을 2~3번씩 가득 넣을 정도였다. 지금은 예전처럼 열정적으로 일하지는 않는다. 그렇게까지 하지 않아도 될 여유가 생겨서인지도 모르겠다. 내가 낙찰을 받지 않아도 누군가는 이 물건을 경매 시장에서 낙찰 받는다. 가격이 저렴하기에 관심을 가지는 이들이 있기 때문이다. 이왕 할 거면 잘했으면 하는 마음에 교육을 한다. 생각보다 많은 사람들이 묘지를 낙찰 받고 매도하지 못하기 때문이다. 분묘기지권 매입 업무를 하며 낙찰자와 대화를 나누다 보면 무엇이 중요하고, 어떤 것을 식별해야 하는지 모르는 경우가 대다수다. 운이 안 좋아서 그런 경우도 있겠지만 어디에 포커스를 맞추어야 할지 모르고 입찰해서 실패한 게 더 크다.

묘지를 처음 입찰하는 사람들의 대부분은 저렴하다는 이유로 한 번 해보자는 마음이 크다. 이렇게 입찰을 하고 물건이 잘 풀리지 않

경쟁 말고 독점하라

으면 그 다음부터 묘지는 쳐다보지도 않는 경우가 많다. 그래서 할 거면 제대로 배워 리스크가 없이 했으면 하는 마음에서 교육을 이어가고 있다. 나에게 찾아오기까지 고민을 하는 사람들이 많다. 왜냐하면 나한테 교육을 들으면 묘지를 찾아다니며 경매를 해야 하기 때문이다. 그런 고민 끝에 나를 찾아온 것이고, 양질의 정보를 얻었다면 돈이 되는 정보로 바꿔야 하지 않겠는가? 돈이 되는 정보를 배웠다면 꼭 본인 것으로 만드는 과정이 필요하다. 내가 득이 되는 게 아닌 수강생이 수익을 내는 구조가 되는 것이 내가 바라는 바이기 때문이다. 하지만 돈을 들여 나를 찾아왔지만 이를 실행하지 못하는 분들도 많다. 난 항상 "꼭 한 번만 해보라."고 말한다.

묘지를 처음 접하면 아직 가보지 않은 길이기에 어렵고 막막하게 느낄 수 있다. 하지만 매도를 한 번 해보면서 사이클을 돌려본다면 생각보다 어렵지 않다고 여겨지는 게 묘지 경매이기 때문이다. 나 역시 첫 입찰은 불안했지만 매도를 하며 그 불안은 확신으로 바뀌고 이게 정말 돈이 되는구나 하고 느꼈으니 말이다. 난 돈이 되는 특별한 정보가 아니라면 다루지 않는다.

이 책에서 강의에서 다루는 중요한 내용들을 많이 오픈했다. 책에 중요한 내용을 쓰지 않고 강의에서 이런 내용들을 계속 다루었다면 난 강의를 하며 돈은 더 벌었을 것이다. 하지만 묘지 경매에서 실패

하는 사람들은 더 나왔을 것이다. 그래서 고민 끝에 이 책을 쓰게 되었고 알토란 같은 내용을 담으려고 노력했다. 이 책을 읽고 묘지 경매에 관심이 생겼다면 내가 현장에서 파악하라고 말했던 묘의 관리 상태, 묘의 기수, 묘비의 유무 등을 꼭 확인하기를 바란다. 배운 것을 백분 활용하는 것 또한 여러분의 능력이다.

투자 전에 이것만은 꼭!

시드머니가 부족한데 시드머니를 모을 동안 무엇을 해야 할까요? 투자금이 없으면 투자하기 힘들고 생각 또한 하기 힘들다. 투자금이 없는데 무슨 투자냐고 생각하기 십상이다. 내가 묘지 경매를 시작하게 된 계기는 돈이 없어서였다. 투자는 하고 싶은데 돈이 없다 보니 가진 돈으로 투자할 수 있는 방법을 없을까 고민하다가 이 답에 이르게 되었다.

투자에서 가장 중요한 것은 본인의 투자 가치관이다. 어떠한 상황에도 흔들리지 않는 확고한 투자관, 이게 있어야 내가 한 투자를 믿고 기다릴 수 있다. 밖에 나가서 주식, 코인, 부동산 등 돈을 버는 재테크 이야기가 빠지면 섭하다. 2021년에는 어떤 분야든지 간에 재미를 본 사람이 많았다. 물론 투자 분야는 본인의 성향에 따라 정하는 게 맞다. 나는 내 생각을 믿고 묻어두는 투자를 좋아한다. 내 성향에 맞는 투자를 하기에 차트를 자주 확인해야 하는 투자는 선호하지 않는다. 마음 편히 돈을 벌고 싶기 때문이다. (개인적인 견해일 뿐 옳고 그른 게 아니다.) 시드머니를 모으는 단계라면 나의 투자 가치관을 확립하는 것을 가장 먼저 하기를 권한다.

부동산 도서 중에 가장 처음 접했던 게 아파트 값의 상승에 원인을 주는 것들에 대한 책이었다. 예를 들면 금리가 상승하면 아파트 값이 오른다. 물량이 부족하면 상승한다 등 원인에 따른 인과관계를 알고 싶었기 때문이다. 지금 생각하면 기타 외부요인도 있겠지만 결국 군중심리가 가장 큰 요인이지 않을까 싶다. 아파트가 급등하면 지금 부동산 시장에 진입해서 추격 매수를 해야 하는지 갈팡질팡하는 불안한 군중심리 말이다. 주거용 투자 시장도 결국 주식시장과 다를 바가 없다. 지금은 너무 변질되어 주식시장처럼 작전세력들이 너무 많다. 폭탄 돌리기를 하는 곳도 많고. 부동산 강의를 하는 강사 중에는 본인과 지인들이 해당 지역의 부동산을 매입한 다음 수강생들에게 좋다고 찍어 주는 경우도 있다. 그러면 수강생들이 찍어준 부동산을 우르르 몰려가서 매입할 것이고, 호가와 시세가 상승하면 이를 먹고 나오는 사람들이 많다. 너무나 유명한 강사들조차도 말이다. 그렇기에 더더욱 좋은 것을 식별하는 나만의 눈을 가져야 한다. 누군가의 견해는 견해로 받아들이고 흔들리지 않고 스스로 판단할 수 있어야 한다.

추천하고 싶은 것은 투자를 인문학 관점에서 바라본 책들을 읽는 것이다. 서양에는 오래전부터 유명한 투자자들이 많았다. 고인이 된 저자들도 많은데 그런 책들을 살펴보고 현 상황에서도 적용할 수 있는 내용들을 읽으면 좋을 것 같다. 시간이 이렇게 많이 흘렀는데도 변하지 않는 사실은 그만큼 불변의 진리에 가깝기 때문이다.

내가 투자할 때에 중요하게 생각하는 부분은 싸다, 비싸다를 판단하는 일이다. 가격이 싸다고 느끼는 것은 지극히 개인적인 견해이다. 투자는 우리가 마음이 편하지 못하면 절대 지키지 못한다. 그렇기에 내가 싸다고 판단되는 것만 사야 한다. 내가 이 가격이 조금 비싸다고 느끼는 순간 그건 비싼 것이다. 난 이를 지금까지 부동산 외의 다른 투자를 할 때에도 항상 적용했다. 확고한 투자 가치관이 생기면 나만의 관점으로 시장을 볼 수 있기에 뉴스나 사람들의 이야기에 흔들리지 않고 판단할 수 있다.

책에서 읽었던 구절이 떠오른다. 내가 공을 던져 어디쯤 맞추겠다고 예상이 되면 그것은 투자고, 어디를 맞출지 가늠하지 못하면 그건 투기라고 했다. 투기를 하게 되는 가장 큰 요인은 군중심리다. 결국 투자는 군중심리에 휘둘리지 않으면 절반은 성공한 게 아닐까? 최근 몇 년간 뜨거운 감자인 코인을 보더라도 시세가 급등하니 이를 보고 코인 시장에 뛰어든 사람들이 적지 않으니 말이다. 올해 루나 폭락 사태를 보며 안타까운 마음을 감출 수 없었지만 결국 투자의 책임은 나에게 있다고 다시 한번 느꼈다.

현장 임장은 필수

현장 임장의 중요성은 입이 닳도록 말해도 부족하지 않다. 소액 투자의 경우 투자금이 소액이라는 이유로 현장을 가보지 않고 입찰하는 사람들이 더러 있다. 최근 묘지 경매는 현장 임장을 가지 않아도 된다고 주장하는 사람들이 있지만 내 돈을 지키는 것은 나 자신이다. 현장에서 꼭 체크를 해야 한다. 현장만 가도 반은 먹고 들어간다.

난 경매 시작을 묘지로 하였지만 이 방법을 다른 곳에도 적용시킬 수 있을 것 같아 법정지상권(지상에 건물이 있고 토지만 경매로 낙찰 받는 것) 물건 등 다른 지분들도 많이 경험했다. 전라남도에 소액으로 낙찰 받은 시골집이 있었다. 이 물건은 저렴하다는 이유로 임장을 가지 않고 입찰을 했다. 내가 낙찰을 받고 공유자에게 연락을 취했는데 답이 없는 것이다. 나는 현장 임장에서의 느낌을 중시하는 편인데 불길한 마음에 뒤늦게 현장을 방문해보니 생각했던 느낌과 달랐다. 매도까지는 5개월가량이 걸렸다. 5개월도 괜찮다고 느끼는가? 다른 지분 경매에 비해 짧을 수도 있다. 하지만 난 항상 1개월, 늦어도 2개월이 되기 전에 매도를 하는데 나에게 5개월이라는 시간은 매우 긴 시간이었고 임장의 중요성을 느끼게 해준 물건이었다.

시골집도 이러한데 묘지는 임장이 더욱 중요하다. 왜 중요할까? 물건은 경매지 사진을 통해 먼저 접하게 된다. 사진이 마음에 들어서 임장을 가보면 생각했던 것과 다르거나 마음에 들지 않는 물건들이 더러 있다. 좋은 물건을 선별하기 위해서는 임장이 필수적인 것이다. 저렴한 가격과 지방이라는 거리 때문에 임장에 대해 거부감이 들 수는 있으나 내 돈을 지키기 위한 필수적인 과정이라고 생각하면 마음이 편하다. (부동산에서 임장이 필수적인데 이 과정이 싫다면 부동산 투자보다는 주식 등 다른 편리한 투자로 눈을 돌리는 게 낫다.)

투자를 하는 목적은 확실한 수익을 내기 위해서다. 내가 편하기 위해 이런 과정들을 배제해 버리면 그만큼 투자 리스크가 커진다. 혹 묘지라서 찾아가기가 겁나는가? 묘지를 찾아가다가 마을 사람들을 만날까 봐 걱정되는가? 겁먹을 필요 없다. 대부분 물건들이 시골이기에 외지인이 가면 시선을 주며 신기하게 보기는 하지만 쉽사리 말을 붙이지는 않는다. 또한 대부분 산에 있기 때문에 사람을 만날 일이 별로 없다. 마음에 드는 물건을 찾아 현장을 방문해서 괜찮은지, 입찰할 만할 가치가 있는지 판단하면 그만이다. 묘지만 파온 내가 이렇게 현장 임장의 중요성을 강조한다면 그만한 이유가 있을 것이다. 현장에 답이 있다.

소액으로 접근하라

묘지 경매의 가장 큰 장점은 소액으로도 할 수 있다는 점이다. 나도 주머니 사정이 여의치 않아 우연히 290만 원 물건을 낙찰 받으며 묘지 경매의 길로 들어섰지만 지금도 300~600만 원대 물건들을 선호한다. 수강생들에게 항상 말한다. 가급적 1천만 원이 넘는 물건은 하지 말라고. 왜냐? 1천만 원에서 2천만 원으로 가면 물건 수가 많아진다. 어떤 문제가 있냐면 사는 사람 입장에서 금액이 부담될 수가 있다.

내가 500만 원에 낙찰 받아 1천만 원이나 1천 500만 원에 파는 것과 내가 1천 500만 원에 낙찰을 받으면 사람 욕심에 2천 500만 원이

경쟁 말고 독점하라

나 3천만 원에 팔고 싶어진다. 1천만 원과 3천만 원. 여러분에게는 어떻게 와닿는가? 사는 사람의 입장에서 금액이 부담되면 쉽게 협상에 응하지 못할 뿐더러 시간이 길어질 수 있다.

묘지 경매는 소액으로 접근하여 단기간에 수익을 실현할 수 있는 게 가장 큰 장점이다. 금액이 높아지면 내가 생각하는 소액 투자의 장점에 위배되는 행위라고 생각한다. 어차피 한두 번 하고 말 게 아니라면 싸게 낙찰 받아 적당히 팔라고 말한다. 투자금이 줄어들수록 내 리스크도 줄일 수 있기 때문이다.

어떤 투자든지 리스크가 있다. 주식의 경우 주가가 떨어지는 것이 리스크가 될 것이고 아파트의 경우 시세가 조정되는 것이 리스크가 된다. 묘지 경매에서는 묘지를 팔지 못하는 것이 리스크가 된다. 앞에서도 여러 번 말했지만 묘지는 팔지 못하면 그 땅의 값어치는 제로에 가깝다. 때문에 이 리스크를 줄이기 위해서는 일단 투자금을 줄이고, 상대방의 부담을 덜어주는 것이 좋다. 특히 투자가 처음이라면 협상이 생각처럼 진행이 안 될 경우에 쉽게 조급해질 수 있으므로 투자금을 줄이라고 말하는 것이다. 처음 경매를 진행한다면 가급적 500만 원 이하로 첫 경험을 해보고, 내 투자 경험에 따라 차츰차츰 범위를 넓혀가면 좋을 것이다.

영원불멸의 노하우는 없다

투자든지 사업이든지 간에 영원한 정답은 없다. 현재는 내가 승자 일지 몰라도 나를 쫓아오는 후발주자가 넘쳐나기 때문이다. 묘지 경 매를 먼저 시작하고 잘 안다는 이유로 다른 사람들을 가르치고 있지 만 묘지 경매 또한 영원한 정답은 아니다. 왜냐하면 누가 돈을 벌었 다고 하면 돈을 벌고자 하는 욕망을 가진 하이에나가 귀를 기울이기 때문이다.

한 예로 2021년 4월 분묘기지권 지료청구 판례가 나오면서 경매 전문가라고 불리는 이들이 한 번 묘지 경매에 대해 언급한 것 같다. 그만큼 전문가라고 하는 이들에게도 묘지는 불모지이자 미개척지였다. 묘지의 지료청구는 예전에도 가능했지만 이번에 나온 판례는 분묘기지권이 성립하더라도 토지 소유주에게 지료를 주어야 한다는 판결이었다. 판결 원인을 보면 분묘기지권이 성립하면 사실상 토지의 사용이 영구적으로 제한되기 때문이라고 한다. 물론 좋은 영향이고 좋아 보이는 것은 맞다. 돈을 준다는데 마다할 사람은 없기 때문이다. 하지만 이들보다 묘지를 좀 더 경험해 보고 잘 하는 입장에서 내 의견은 다르다. 지료청구 판례가 나왔다고 해서 묘지 경매의 해법을 찾았다고 볼 수는 없다.

우리는 공유자(묘지 연고자)에게 토지를 매도함으로써 차익을 얻기 위해 묘지를 낙찰 받은 것이지 고작 얼마 안 되는 지료를 받기 위해서가 아니기 때문이다. 물론 압박은 되겠지만 무엇이 중요한지 포커스를 잘못 맞춘 사례라고 생각한다. 지료청구 판례를 호재라고 느끼는 이들은 하수다. 경매 시장에는 고수보다 하수가 더 많은 법이다. 하수들은 불나방처럼 일단 달려들고 본다. 이 책을 보는 독자 중에는 그러면 내가 들어갈 자리는 없겠다고 느낄 수도 있을 것이다.

반대로 질문하겠다. 묘지를 낙찰 받고 매도하지 못하는 사람이 얼마나 된다고 생각하는가? 많은 사람들이 묘지를 낙찰 받고도 해결하지 못하고 방치한다. 아마 해결하지 못하는 비율이 더 높을 것이다. 이 지료청구 판례가 나오기 전과 후에 수강생이 처한 환경이 달라졌다. 이전에는 소액으로 가능한 묘지, 나도 한번 해보자는 사람들이 대다수였다면 이후에는 덜컥 낙찰을 받고 어떻게 해야 하냐며 찾아 오는 사람들이 늘었다. 공개적으로 이런 말을 한다는 것이 조금 고민이었으나 아닌 것은 아니기에 한마디 하겠다. 유튜브 등에서 묘지 경매 전문가라며 강의를 하는 사람들은 정보성 메시지를 전달할 때에 어떤 것이 좋고 아닌지를 명확히 알려줘야 할 의무가 있다고 생각 한다. 유튜브가 활성화되면서 정말 많은 정보가 쏟아져 나온다. 유용한 정보가 늘어난 만큼 불필요한 정보도 늘어났다고 생각한다. 나를 찾아오는 사람들에게 왜 묘지를 낙찰 받았냐고 물어보면 항상 언급하는 몇몇 전문가들이 있다. 이 사람들이 유튜브에서 묘지는 살 사람이 정해져 있기 때문에 오히려 초보가 해야 한다고 하여 이 말만 듣고 도전했다고 한다. 물론 틀린 말은 아니지만 어떤 묘지를 찾아야 하고 어떤 점을 조심해야 하는지 등 알맹이는 쏙 빼놓은 정보만 전달하면 입문자 입장에서 이 정보를 어떻게 판단하겠는가? 가짜 전문가가 너무 많다. 그렇다고 해서 나를 믿으라는 말은 아니다. 투자의 세계에서 믿을 건 본인 자신밖에 없으므로 나도 믿지 말고 본인만 믿어라.

주거용 경매를 강의하는 사람이 수강생과 묘지를 공동 투자하여 낙찰 후 해결이 안 될 것 같으니까 보증금을 포기하고 미납한 사실도, 묘지 전문가라는 사람이 수강생과 공동 투자하여 해결하지 못하고 있는 사례도 있다. 이런 사람들이 상황이 난처해지니 나에게 도움을 청하는 것이다. 난 내가 직접 보고 듣고 경험한 내용만 담을 뿐이다. 묘지 경매 시장에서 내가 독보적이기에 스스로 묘지 경매 일인자라고 칭한다. 그리고 일인자라는 말을 반박하는 사람은 한 명도 나오지 않았다. 그러나 묘지 경매도 시간이 지날수록 누군가의 경험에 의해 하나하나 시장에 공개될 것이다. 영원한 정답은 없지만 이 정답이 유효한 동안은 꿀단지를 차지하기 바란다. 앞에서 말했듯이 2030세대가 묘지를 가지게 될수록 묘지는 앞으로 더욱 많이 나올 것이다.

낙찰을 위한 입찰은 안 된다

경매의 본질이 무엇이라고 생각하는가? 내가 생각하는 경매의 본질은 수익이다. 자본주의 사회와 걸맞은 온전히 1등만 수익을 낼 수 있는 경쟁 게임이다. 경매를 진행하다 보면 누구나 경쟁이 치열하다고 한 번쯤은 느낀다. 내가 가지고 싶은 물건을 눈앞에서 놓치면 누구나 이런 생각을 하지 않을까? 패찰하는 경우가 한 번, 두 번 이어지다 보면 입찰가를 높이 쓰는 경우가 있다. 계속 이렇게 패찰하여 시간을 낭비할 바에는 낙찰이라도 받아보자는 마음이 반영된 것이다. 하지만 경매는 결국 수익을 내는 게임이다. 수익을 내야 하는 게임에서 낙찰을 위한 입찰이 되면 안 된다.

수익을 내기 위한 입찰가가 500만 원이 최대 금액이라고 해보자. 그런데 기존에 패찰 한 경험 때문에 욕심을 낸다. 결국 200만 원을 더 올려 700만 원을 썼다고 가정하자. 200만 원이 오버된 금액이다. 낙찰을 받으면 좋을 수는 있다. 시작이 반이니 말이다. 하지만 높은 낙찰가는 다음과 같은 문제를 유발하기 마련이다.

협상 간 발생하는 애로사항

입찰가를 높게 쓰면 공유자(묘지 연고자)가 수긍하기 어려워 하는 경우가 있다. 이들은 싸게 사고 싶은 사람들이다. 욕심 때문에 지나치게 높은 입찰가를 쓰면 이들은 여기에 우리의 차익을 더해서 매입해야 한다. 비용을 이해하기 어려워 하는 사람이 있고 시세를 아는 이들은 이 가격이 터무니없다고 생각하는 사람도 있기 마련이다. 이런 경우 간혹 왜 비싸게 받았는지 물어보는 사람들도 있으니 참고하기를 바란다. 수월한 협상을 위해서는 묘지 연고자가 수긍할 만한 가격에 입찰을 받아야 한다는 것을 명심하자.

줄어드는 수익

운이 좋게 내가 높은 가격에 낙찰 받아 거기에 수익을 더해 받으면 좋겠지만 그렇지 않은 경우가 더 많다. 1천만 원에 매도한다고 가정하자. 500만 원에 낙찰 받았다면 500만 원의 차익이 생기지만 700만 원에 낙찰되면 300만 원의 차익만 남는다. 300만 원이라도 어디냐? 남으면 됐지라고 생각한다면 잘못한 것이다.

나도 예전에는 300만 원, 500만 원 등 차익이 적은 물건들을 다 매도해 보았다. 지금은 잘 하지 않을 뿐더러 선호하지 않는다. 묘지 경매를 하며 300만 원의 수익을 내는 물건과 1천만 원 수익을 내는 물건은 둘 다 A부터 Z까지 진행하는 과정이 동일하다. 물건마다 조금씩 차이는 있지만 입찰가를 쓰는 순간부터 협상 방법에 따라 차익이 정해지기 때문이다. 협상 방법에 따라 달라진다고 했지 협상 과정이 다르다고 하지는 않았다. 즉 협상 과정은 같다. 그렇기에 얼마의 수익을 낼 지는 결국 내가 정하는 것이다. 똑같은 과정의 일을 한다면 굳이 적은 파이를 먹을 필요가 있을까? 조금 남더라도 여러 건을 진행해서 수익을 맞추면 되지 않냐고 할 수 있는데, 협상에 대한 스트레스를 여러 건 안고 있는 것보다 속 편한 하나가 낫다고 생각한다. 내가 1개월에 몇 건씩 진행할 게 아니라면 묘지도 우량한 한 건만 해결하는 게 수월하다. 사람들이 아파트도 괜히 똘똘한 한 채를 선호하겠는가?

그러면 입찰가 산정은 도대체 어떻게 하는 것일까? 이번에는 내가 1천만 원의 입찰가를 썼다고 가정하자. 차순위는 500만 원을 썼다. 2등과의 차이가 500만 원이다. 이때는 일명 500만 원의 떡을 사 먹었다고 표현하는데 2등과의 차이를 보고 '아, 내가 너무 높게 썼나?'라는 생각이 들면 입찰가 산정을 잘못한 것이다. 경매의 본질은 수익을 내기 위함라고 했다. 내가 이 가격에 낙찰되더라도 충분히 수익을 낼 수 있겠다는 확신이 있는 입찰가를 산정해야 한다. 후회하는 입찰가는 첫 단추부터 잘못 낀 것이다. 나 스스로 내가 쓴 가격에 확신이 없는데 누가 이 가격에 내 물건을 사 줄 것인가?

예전에 이런 사례가 있었다. 한 수강생이 2등으로 패찰을 했다. 아쉬움을 달래려던 찰나 낙찰자가 황급히 수강생을 잡았단다.

"혹시 이 물건 어떻게 해결하려고 하셨어요?"

"네?"

"제가 ○○ 님 지분 경매 강의를 듣고 입찰을 다니는데 다른 지분 물건에서 연이어 패찰하다 보니 묘지로 눈을 돌려 입찰했습니다. 이번엔 꼭 낙찰되고 싶어서 가격을 높이 썼는데 낙찰되고 보니 너무 높이 쓴 게 아닌가 생각이 들고 어떻게 해결해야 하나, 과연 잘 받은 건가 싶어 불안한 마음에 여쭤 봅니다."

이때 이 수강생은 두 건의 물건을 낙찰 받은 후 세 번째 입찰이었지만 초보인 티를 내기 싫어서 "저는 경매노마드 도강민 선생님에게 배웠습니다."고 말한 후 자리를 떴다고 했다. 먼저 해결 방법을 모르는 것은 둘째 치고 위 사례의 낙찰자는 낙찰을 받고 싶은 마음에 가격을 높이 썼다. 낙찰이 되니 그제서야 당황을 한 거다. 이러면 안 된다. 경매는 수익, 입찰가는 내가 수익을 낼 수 있는 금액. 항상 자신감이 뒤따라야 한다. 그래야 자칫 길어질 수도 있는 싸움을 내가 끌고 나갈 수 있다. 그렇기에 항상 우리는 입찰가를 산정할 때는 항상 확신을 가지고, 경매의 본질에 위배되지 않는 수익을 위한 입찰을 해야 한다. 낙찰을 받는 게 전부가 아니다. 수익을 내야 진정한 경매를 행하는 것이다.

조상에게 불효를 저지른
대기업 부회장

콘텐츠 중에 가장 흥미를 가지는 이야기는 부회장과의 에피소드일 것이다. 대기업 부회장이라고 하면 괴리감이 크기도 하지만 한낱 소시민인 내가 대기업 부회장과 붙었기 때문이 아닐까?

이 물건은 강원도 동해에 있었다. 묘란 묘는 거의 다 임장을 다녀봤기에 현장을 가면 얼핏만 보아도 어떤 곳인지 가늠이 된다. 여기에 임장 갔을 때가 유튜브를 시작한 지 얼마 되지 않아 영상으로 담으려고 현장을 보는 순간 놀랐다. 묘는 많이 다녀봤지만 이 묘처럼 웅장한 느낌을 받은 것은 처음이었다. 석축이 잘 되어 있고 모든 것이 큼직큼직했다.

투자할 때에 느낌을 중요하게 생각하는데 이 물건은 보자마자 더 볼 것도 없겠다고 생각했다. 여기는 3층으로 구성되어 5대가 함께 있는 묘지였다.

이 물건을 낙찰 받기 전에는 묘지 연고자가 대기업 부회장인지 몰랐고, 알 수도 없었다. 잔금을 납부하기 전에 우연히 그 사실을 알게 되었다. 집사람은 걱정부터 했다. 묘지 경매를 하면서 큰 부자들을 종종 만나지만 대기업 부회장이라는 지위가 있는 사람을 만난다고 하니 걱정을 한 것이다. 나도 당황하지 않았다면 거짓말이다. 그래도 재미가 있을

것 같았고 일단 궁금했다. 위에 있는 사람들은 어떤 사람들일까? 한번 붙어보고 싶다! 내가 질 것이라고 생각했다면 잔금을 납부하지 않았을 것이다. 이 물건의 낙찰가는 1,530만 원으로 묘지치고 고가였다. 나와 이 땅을 함께 소유한 이가 대기업 부회장의 아들이었다. 소유권 등기를 마친 후 아들에게 내용 증명을 보냈는데 답이 없었다. 그래서 부회장에게 내용 증명을 발송했다. 내용 증명을 두 차례나 보냈는데도 묵묵부답이었다. 그들에게 먼저 기회를 주려고 했으나 연락이 없어서 묘를 이장해야겠다고 마음먹었다. 그러던 중 전화가 왔다. 연배가 있는 목소리였다. 부회장이었다. 두 번의 내용 증명을 받고도 답이 없길래 뻔뻔할 것이라고 예상했는데 역시나였다. 자기가 다른 곳을 갔다가 집에 왔는데 뭐가 왔더라면서 이게 뭐냐고.

경쟁 말고 독점하라

"네, ○○○ 씨(부회장의 아들)에게 동일한 내용 증명을 보냈으니 사장님과 대화할 내용은 없습니다."

이렇게 말하고 전화를 끊으려는데

"그래서 그쪽에서 어떻게 하자는 말이죠?"

보낸 이유가 있지 않냐며 묻는 것이다. 그래서 원하는 사항은 내용 증명에 적어 보냈으니 그것을 보라고, 추후에 필요하면 나중에 묘지만 이장하면 된다고 했다. 그랬더니 발끈하며 자기들이 왜 이장을 하냐, 부모님이 돌아가신 지 60년도 지났고 분묘기지권이 성립하니 이장할 필요가 없다. 예전에 주위에 이런 일이 있어 좀 알아봐서 잘 아는데 쉽지 않을 것이다, 생각처럼 안 될 거라는 등 '이장'이라고 하니 감정이 격앙되어 말을 했다. 지금 생각해보니 본인 주위에 비슷한 일을 겪은 사람을 봐서 안일하게 생각한 것 같다. 하지만 상대가 다른 것을 어쩌겠는가.

"나는 그리고 해봤자 부모님 묘와 할머니, 할아버지 묘 말고는 관심이 없어서 잘 모르겠다."라고 하는 것이다. 황당했다. 내가 알기로 본인의 증조, 고조, 현조까지 5대가 다 있는데 본인은 관심이 없다는 것이다. 설명해도 비슷한 맥락으로 자꾸 말하기에 답답해서 한마디 했다.

"사장님, 연세가 많으셔서 말씀을 잘 못 알아들으시는 거 같은데 더 이상 할 말이 없습니다."

"그래요, 한 번 열심히 해보세요."

"네, 어떻게 되는지 지켜보시죠."

난 지는 싸움은 하지 않는다. 항상 이겼고 이기는 싸움만 한다. 잔금을 납부한 순간 이미

이기려고 마음을 먹은 상태다. 누구보다 돈을 소중하게 생각하기에 내 돈을 허튼 곳에 투자하지 않는다. 내가 던진 그물에 대기업 부회장이 걸렸다. 부회장과의 통화는 이게 처음이자 마지막이었다. 그렇다고 해서 부회장이 미련 없이 묘를 이장했냐고? 천만의 말씀이다. 내 앞에서는 알아서 해라. 난 미련이 없다고 했지만 소송 중에 묘를 지키기 위해 동분서주로 노력했다. 추후 이 가족의 이야기를 들어보니까 나에 대해 너무 잘 알고 있었다. 내가 누구인지 다 알아보고, 심지어 내 차가 무엇인지도 알고 있었다. 통화가 처음이자 마지막이었던 이유는 그쪽도 자존심이 상한 것이다. 그래도 대기업에서 대표이사와 부회장직을 맡으며 대접받는 삶을 살았을 텐데 회사의 신입사원 정도밖에 안 되는 젊은이가 누가 이기는지 한번 겨루자고 하면서 승부의 흐름을 끌고 가니 말이다.

이들이 나에 대해 알듯이 나도 이들을 조사했다. 인터넷에 검색만 해도 정보가 쉽게 나왔다. 부회장의 집안에 다양한 인물들이 많았다. 대학교 명예교수, 청와대 비서실장 출신, 그리고 동서가 서울의 한 대형 로펌 대표였다. 이 정도로 믿는 구석이 있으니 이렇게 반응하지라고 생각했다. 나중에 소송을 진행할 때 소장을 보니까 주위 법조인들의 조언을 받고 소송은 사내 법무팀을 통해 진행한 것 같았다.

소장을 접수하고 2개월가량 서로 연락이 없었다. 게임은 시작되었다. 묘를 이장시키려는 자와 묘를 지키려는 자의 싸움 말이다. 소송을 진행하는 중에 부회장은 조카를 통해 나에게 몇 번의 협상을 제안했다. 처음에는 이 조카가 부회장이 본인 집의 큰아버지인데 연락도 잘 안 하고 본인도 큰아버지를 싫어한다는 뉘앙스를 풍기는 것이다. 그러면서 하는 말이 큰아버지는 부모님 묘만 이장할 계획이라고 했다. 반신반의했다. 왜냐하면 조카의 나이가 30대 중반쯤 되었는데 내가 느끼기에 본인은 결정할 힘이 없어 보였을 뿐만 아니라

꼭두각시 느낌이 들어 옹호하는 척하며 어떻게 나오는지 지켜보았다.

이들은 묘를 지키고 싶으니 얼마면 매도할 것인지 물었다. 나는 토지를 팔 의사가 없다고 했다. 진심이었다. 낙찰 받은 가격이 1,530만 원인데 처음에는 2,000만 원, 2,500만 원으로 점점 올라가다 최후에는 4,500만 원까지 제시했지만 나는 응하지 않았다. 3천만 원의 수익이 나는데 왜 매도하지 않았느냐고 물어보는 사람도 있었지만 그럴 만한 이유가 있었다. 첫째는 묘가 있다는 이유로 감정 자체가 된 물건에 묘라는 하자 때문에 유찰되어 싸게 낙찰을 받았다. 추후 이 물건을 경매로 매각할 수 있도록 현금분할 판결을 받은 후 경매로 진행되기 전에 하자인 묘만 정리하면 내가 싸게 받은 터라 수익이 날 것이라고 생각했기에 응하지 않았고, 둘째는 끝을 보고 싶었다. 본인의 커리어에 꽤나 자존심이 상했을 것이고 그랬기에 나와 맞붙은 것이다. 그래서 더욱 이기고 싶었다.

경매라는 시장에서 대기업과 붙은 이들은 내가 알기로 없고 흔치 않지만, 내 능력이 어느 정도인지 증명해보고 싶었다. 큰 규모의 로펌, 그리고 대기업 법무팀이 달려든 승부에서 혈혈단신으로 이긴다면 그 자체로 의미 있지 않을까?

결과는 내가 이겼다. 먼저 해당 토지 지상에 위치한 총 묘 21기 중에 18기를 이장했다. 낙찰 후 6개월 만에 일어난 일이다. 남들은 낙찰하고 물건을 6개월 만에 매도했다고 하지만 난 6개월 만에 묘를 이장시켰다. 남들은 껄끄러워서 피하는 묘를 18기나 말이다.

소송이 막바지에 이르렀을 때 난 이들이 묘를 곧 이장할 것을 알고 있었다. 부회장의 남동생이 있는데 원래는 부회장 아들 지분의 소유자가 이 동생이었다. 여러분은 라이온스클럽을 아는가? 라이온스클럽, 로타리 클럽 등 지역에서 한가락 하는 이들이 친목을 다진다는 명분으로 운영하는 인맥 클럽이다. 본인 사업체를 운영하며 동해 라이온스클럽

회장까지 했던 이가 이 동생이었다. 그런데 사업을 하다가 문제가 생겨 동생의 지분에 압류가 걸렸고 공매로 매각될 수 있을 것 같아 자기 아들에게 지분을 증여한 것이다.

저녁에 모르는 번호로 전화가 왔다. 대뜸 이 일이 어떻게 진행되고 있는지, 얼마나 진행되었는지, 묘를 이장해야 하는지를 묻는 것이다. 술을 마신 목소리였다. 그래서 누구냐고 물으니 등기부에서 보았던 부회장의 동생이었다. 재미있는 상황이었다. 형은 소송 도중에 안 될 것 같아 묘를 이장하기로 마음먹었는데 동생은 이것이 억울하고 원통한 것이다. 이 분야에서 유명하고 성공했던데 세종으로 찾아뵙고 이야기하고 싶다고 했다.

항상 말하지 않았는가? 협상은 결정권자와 해야 한다고. 괜한 시간을 낭비할 필요가 없다. 그래서 나는 그걸 왜 나에게 묻느냐, 가족에게 물어보라고 하며 전화를 끊었다. 일주일 뒤에 또 술에 취해 전화를 했다. 다시는 전화하지 못하게 한소리를 했다. 그래서 이 뒤로는 연락이 오지 않았다. 부회장 동생과 통화하며 끝까지 가보자더니 벌써 발 빼고 이장하는 건가 싶으면서도 통쾌했다.

1차로 18기를 이장했다. 3기의 묘가 남아 있었는데 그 묘들은 채무자 집안의 묘였다. 이장할 거면 한 번에 하지 왜 3기를 남겨두었는지 궁금했는데, 아마 부회장이 이 채무자가 괘씸하지 않았을까? 이 일의 시발점이 되었으니 말이다. 3기의 묘도 바로 다음 달에 이장해 깔끔하고 하자 없는 토지로 만들면 공유물 분할 소송 또한 내가 원하는 대로 현금분할(경매로 매각할 수 있도록 판결을 받았다)을 받았을 것이다.

이 물건의 변론기일이 몹시 기다려졌다. 변론기일은 판사가 판결을 내기 전에 부르는 자리다. 아버지 뒤에 숨어 나타나지 않던 부회장의 아들. 내 공유자. 어떤 모습일지 궁금했다. 하지만 기대와는 달리 매우 평범했고, 나를 제대로 쳐다보지도 못했다. 부회장과의

경쟁 말고 독점하라

싸움은 너무나도 허무하게 끝이 났다. 처음에 내 연락을 받고 이들이 왜 안일하게 대처했는지 생각해보니 이 토지가 2012년도에도 경매로 나온 적이 있었다. 그때 묘가 있다는 이유로 감정가 대비 34%가 될 때까지 아무도 입찰하지 않아 유찰되다가 경매가 취하되었던 적이 있었다. 이번에도 그럴 것이라고 여겼고, 만약에 누가 받더라도 어떻게 하지는 못할 것이라 생각한 듯하다.

본인이 알고 있는 것이 맞다고 생각하고, 본인 뜻대로 움직이는 세상에서 살았지만 노년에 젊은 친구에게 크게 한 방 먹은 일이 아닌가 싶다. 집사람과 가끔 이야기하는데 함께 입찰한 사람이 이 물건을 받지 않은 게 천만다행이라 생각한다. 이 사람에게 낙찰되었다면 부회장의 손에 이리저리 조리되지 않았을까 하고 생각한다. 기대와 달리 손쉽게 승리를 가져와 허무하기도 했지만 좋은 경험이었다.

한 가지 기억에 남는 것은 공유물 분할 소송을 진행하며 이들이 마지막 답변서에 적은 내용이다. 원고는 묘지를 전문으로 하는 회사이기에 그런 점을 참고해서 봐달라는 것이다. 법률을 다루는 변호사가 묘지를 전문으로 하는 회사이기에 안 좋게 봐달라고 감정에 호소했던 게 기억에 남는다.

이 물건은 추후 어떻게 마무리되었을까? 현금분할 판결을 받고 내가 경매 신청을 했고 경매 물건으로 전체 토지가 매각되었다. 감정가 1억 1천만 원 물건에 신건에 5명이 입찰하여 1억 7,500만 원에 낙찰되었다. 난 이 땅의 1/3 지분을 가지고 있었기에 5,700만 원을 배당받았다. 1,530만 원에 낙찰을 받아 묘라는 하자를 없앴더니 5,700만 원이 되어 나에게 돌아왔다. 사람들은 묘지를 이장하고 나면 이 땅은 더 값어치가 없는 땅이 되지 않나요, 누가 사나요, 라고 묻지만 반대로 묘가 있는 상태에서 다시 경매로 매각을 하면 더 헐값에 낙찰될 것이다. 이것이 바로 최악의 상황에서 묘지를 이장시켜야 하는 이유다. 경매 물건들 중에 묘지를 낙찰 받고 해결이 안 되어 공유물 분할 판결 후에 매각되는 사례가 많다. 이런 물건들의 99%는 낙찰 받을 당시 그대로 매각된다는 점이다. 즉 묘지가 그대로 있다는 말이다.

여기서 하수와 고수로 나뉜다. 이 사람들의 탓이 아니다. 묘지라는 것이 우리나라 정서상 민감하기에 소송을 통해 이장을 하기가 어려워 그렇게 매각하는 것이다. 하지만 내 돈을 지키고 좀 더 값어치 있는 땅을 만들기 위해서는 묘를 이장시켜야 한다. 난 그렇게 하여 부회장과의 싸움에서 이기고 돈도 벌었다.

여담인데 나와 함께 이 땅을 낙찰 받은 사람은 왜 받은 것일까? 우연치 않게 그 사람과 통화할 기회가 생겨 물으니 이 땅에 집을 지으려고 낙찰을 받았다 한다. 묘지가 있는 땅이었다면 건축은 꿈도 못 꾸었겠지만 내가 하자인 묘를 이장시켜 편하게 집을 지을 수 있게 된 것이다.

좋은 토지는 묘를 이장시키면 그 값어치는 훨씬 올라간다. 우리에게 한 가지 방법만 있는 게 아니라는 것을 잊지 말자. 이 물건은 오랫동안 기억될 것이다.

에필로그

월 1억 원을 버는 것이 두렵다. 아니 두려웠다고 표현하는 게 맞겠다. 이미 달성했기에. 엥? 제정신인가? 돈을 많이 버는데 뭐가 두렵다는 거지? 무슨 헛소리를 하는 거냐고 생각할지도 모른다. 돈을 많이 벌어본 사람이나 월급의 달콤함을 아는 사람들은 충분히 공감할 것이다.

월급은 달콤하다. 힘들게 일해도 월급날 나에게 보상이 있으면 내가 일한 1개월을 보상받는 느낌이기 때문이다. 이를 생각하며 또 1개월을 열심히 일한다. 살아가는데 분명 필요한 재화지만 나를 고립시키는 일이기도 하다. 인간은 안정됨을 느끼면 안주하고 싶어한다. 인간의 욕심은 끝이 없다. 돈을 벌기 시작하면 더 버는 사람들이 자

경쟁 말고 독점하라

연스럽게 눈에 들어온다. 그럼에도 불구하고 그만큼 내가 노력을 하느냐? 그렇지 않다. 이때에 성장과 안주의 굴레에 빠지게 된다. 머리는 알고 있다. 내가 성장하기 위해서는 여기서 더 노력해야 하고 새로운 일에 도전해야 한다는 것을. 고작 월급만으로도 달콤한데 수배, 수십 배를 벌게 되면 그것은 얼마나 더 달콤할까?

처음 묘지 경매를 하며 전업 투자의 길로 들었을 때는 지금보다 훨씬 더 열정적이었다. 투자금이 점점 늘어 욕심껏 낙찰을 받다 보니 10건의 물건을 처리한 적도 있었다. 기억력이 좋은 편이라고 생각하는데 묘지 연고자, 공유자에게 전화가 오면 정보가 헷갈렸다. 그래서 지금은 예전처럼 발에 불이라도 난 듯이 뛰어다닐 필요가 없으니 물건 수를 조절하고 있다. 이때 묘지를 하며 순수하게 얻은 수익이 1개월에 5천만 원을 넘었다. 물론 수익이 커지면 누릴 수 있는 것이 늘어나고 여유가 생긴다. 하지만 그에 따른 안주와 정체도 따라온다. 이는 내가 가난하다가 갑자기 큰돈을 벌어서 그런 것일 수도 있다. 세상이 만만해 보이고 지루해 보인다. 그렇다, 내가 거만해진 것이다. 이런 마음으로 제자리에 멈춰 있으면 도태되는 것이다. 지금 그런 순간이 찾아왔다. 월 1억 원의 수익을 창출한 순간이다. 내가 투자 수익의 기점으로 잡는 것은 3개월 이내에 투자한 물건들을 기준으로 말하는 것이다.

난 이제 새로운 가치를 창출하며 더 큰 꿈을 향해 나아가야 한다. 사실 책을 쓰려고 한 이유 중 하나도 스스로 나태함을 막고 새로운 자극을 주고 싶어서였다. 앞으로 월 10억 원 혹은 그 이상을 바라며 달려가려 한다. 지금까지 그래왔듯이 말이다.

하나를 얻기 위해서는 하나를 포기해야 한다고 배웠다. 둘 다를 얻을 수 없으니까 하나를 택해야 한다고 말이다. 하지만 난 둘 다 가질 수 있다고 말한다. 경제적인 여유와 시간까지 말이다. 결국 이 두 가지를 선택하는 것은 나 자신이다.

많은 이들이 본인의 생각을 규정하고 한계를 정해 놓는다. 한계는 살아가면서 어떠한 벽에 부딪혔기 때문일 텐데, 내가 여러분에게 소개한 묘지 경매는 다르다. 과거의 내 모습을 보라. 난 검정고시를 본 고졸 남성이자, 가족을 부양하기 위해 도축장에서 라벨링을 하던 직원이었다. 이 현실의 벽을 넘지 못했다면 지금의 내가 될 수 있었을까? 결국 중요한 것은 나 자신이다. 난 그 당시에 내가 꼭 성공할 사람이라는 것을 알고 있었다. 바로 나를 믿었기 때문이다. 여러분의 가치를 낮게 평가하지 말고, 생각을 틀에 가두지 말라.

투자자들 가운데 자신이 거주하는 지역을 벗어나는 지역에는 투자를 하지 않으려고 하는 사람들이 꽤 많다. 수도권에 거주하면 수도권 쪽 물건만 하려고 한다. 전국적으로 경매 물건을 소화하다 보니 지방으로 다닐 일들이 많다. 낙찰자를 호명할 때 보면 억양이나 사투리로 보아 대개 그 지역 사람이 많다. 물론 그 지역의 이점을 잘 안다는 것이 투자에 도움은 된다. 하지만 내가 원하는 지역만 투자하기에는 경매 물건이 한정적이고 경쟁이 치열하다. 경매의 경우 인근 지역이라면 임장 가기는 편할 것이다. 이 점이 장점이라면 같은 지역에 있는 다른 경쟁자들도 똑같이 생각한다.

이처럼 생각을, 편의를 위해 규정하는 것은 내가 벌 수 있는 돈의 크기를 규정한다고 생각한다. 내가 편한 것을 포기하면 한 건 할 것을 세 건 이상 낙찰 받을 수 있을 것이다. 이는 돈을 버는 속도 또한 제한하는 것이다.

이 책을 읽는 여러분은 돈에 대한 갈망은 있지만 투자의 방향을 찾지 못한, 시드머니가 부족해서 쉽게 투자하지 못하는, 기존 경매 시장의 경쟁에 진저리가 나 경쟁 없이 수익을 내고 싶은 사람들일 것이다. 여러분이 돈을 버는 것이 가능하다는 것을 말했다. 금전적인 여유가 없는 사람일수록 간절함이 크고, 그 간절함이 여러분을 새로운 투자의 길로 안내할 것이다.

아마 내가 묘지 경매를 선택할 때보다 여러분의 상황이 훨씬 더 좋을 수 있다. 묘지 경매라는 새로운 분야에 발을 들여 수익을 낼 수 있는 방법들을 알았으니, 지금 당장 책을 덮고 컴퓨터 앞에 앉아 물건을 검색하고 현장으로 뛰어가길 바란다. 움직이지 않고 책상에 머물러 있으면 달라지는 것은 아무것도 없다. 마지막으로 이 책이 유명해지기 전에 꿀단지를 차지하기를 바라며, 여러분의 묘지 경매가 성공적인 투자가 되기를 진심으로 응원한다.

경쟁 말고 독점하라

1판 1쇄 인쇄 2022년 11월 1일
1판 1쇄 발행 2022년 11월 9일

지은이 도강민
발행인 김형준

편집 구진모
마케팅 김수정
디자인 유어텍스트

발행처 체인지업북스
출판등록 2021년 1월 5일 제2021-000003호
주소 경기도 고양시 덕양구 삼송로 12, 805호
전화 02-6956-8977 **팩스** 02-6499-8977
이메일 change-up20@naver.com
홈페이지 www.changeuplibro.com

©도강민, 2022
ISBN 979-11-91378-25-2(13320)

체인지업북스는 내 삶을 변화시키는 책을 펴냅니다.